MATHÉMATIQUES

Collectif

Mathématiques

Librio

Inédit

SOMMAIRE

DEUXIÈME PARTIE
La géométrie
par Alain Gastineau

TROISIÈME PARTIE
Formulaire de mathématiques
par Alain Gastineau

ALGÈBRE

GÉOMÉTRIE

LES PROBABILITÉS

* Uniquement en spécialité de la Terminale S

L'ARITHMÉTIQUE*

LES GRAPHES

LES STATISTIQUES

_____

* Uniquement en spécialité de la Terminale ES

Première partie

Le calcul

par Mathieu Scavennec

Introduction

L'arithmétique et l'algèbre sont deux branches des mathématiques que l'on a souvent opposées. L'arithmétique élémentaire est avant tout la science des nombres. Elle a pour vocation l'étude de leurs propriétés, en particulier celles des entiers. Elle complète l'algèbre, qui est la science des équations. La première privilégie le raisonnement alors que la seconde cherche plutôt à donner des outils systématiques pour parvenir à la solution.

Cet ouvrage a pour objectif de rappeler les notions élémentaires de ces deux disciplines. Il s'adresse non seulement aux collégiens soucieux de parfaire leurs connaissances, mais aussi à toutes les personnes désireuses d'acquérir ou de se remémorer les savoirs de base.

Ce manuel suit une progression logique tout en conservant l'autonomie de chacun des chapitres, consultables séparément. Les définitions sont facilement identifiables grâce aux encadrés, ainsi que les règles, formules et propriétés essentielles signalées par de petites icones. Les pièges à éviter font l'objet de paragraphes spécifiques. Enfin, les nombreux exemples, placés le plus souvent en tête de chapitre, permettent d'ancrer la logique mathématique dans des situations concrètes et imagées.

I
Les nombres

1. Les nombres entiers naturels

Le nombre de crayons de couleur dans une trousse, le nombre de pages dans un livre, le nombre de chaises dans une salle de classe sont autant d'exemples de nombres entiers naturels. Dans le premier exemple, le crayon est *l'unité* et, si on ajoute à ce crayon un autre crayon, on obtient le nombre *deux*. De proche en proche, on construit ainsi la suite naturelle des nombres entiers :

Un, deux, trois, quatre, cinq, six, sept, huit, neuf, dix, onze, douze, treize, etc.

S'il n'y a aucun crayon dans la trousse, on dit qu'il a *zéro* unité. On dispose de dix signes ou chiffres pour écrire les nombres entiers :

zéro	un	deux	trois	quatre	cinq	six	sept	huit	neuf
0	1	2	3	4	5	6	7	8	9
	•	••	•••	••••	•••••	••• •••	•••• •••	•••• ••••	••••• ••••

Un nombre s'écrit à l'aide de ces dix chiffres et cette technique de numérotation s'appelle la **numération en base dix**.
Elle obéit à quelques règles simples :

- **Le premier chiffre à droite représente le chiffre des unités du premier ordre.**
- **Dans cette écriture, chaque chiffre représente 10 fois moins que celui qui est à sa gauche.**
- **Le chiffre 0 tient la place des ordres qui manquent.**

Ainsi la position des chiffres indique combien il y a d'unités, de dizaines, de centaines...

Classe des milliards			Classe des millions			Classe des mille			Classe des unités		
Centaines de milliards 12e ordre	Dizaines de milliards 11e ordre	Unités de milliards 10e ordre	Centaines de millions 9e ordre	Dizaines de millions 8e ordre	Unités de millions 7e ordre	Centaines de mille 6e ordre	Dizaines de mille 5e ordre	Unités de mille 4e ordre	Centaines 3e ordre	Dizaines 2e ordre	Unités 1er ordre
								3	0	5	4
					2	7	0	5	3	0	8

3 054 = 3 000 + 50 + 4 soit 3 milliers, 5 dizaines et 4 unités.
2 705 308 = 2 000 000 + 700 000 + 5 000 + 300 + 8
soit 2 millions, 7 centaines de mille, 5 milliers, 3 centaines et 8 unités.

⚠ Ne pas confondre chiffre et nombre.

• *Exemple :*
547 est un *nombre* qui s'écrit à l'aide des *chiffres* 5, 4 et 7. C'est la même nuance qu'il y a entre lettre et mot.

De nos jours, la base dix s'est répandue universellement. On utilise cependant d'autres bases comme la base soixante pour les heures, minutes, secondes ainsi que les bases deux, huit et seize en informatique.

2. Les nombres décimaux

Les nombres décimaux sont par excellence les nombres de la vie courante, du commerce et des sciences. Pour mesurer précisément une longueur, une aire ou toute autre grandeur, on est amené à partager l'unité en 10, 100, 1 000... parties égales.

• *Exemple :*

L'unité de prix (l'euro) est partagée en 100 parties égales appelées centimes.
Si un article coûte 7 euros et 65 centimes, on écrit 7,65 €.

La partie située à gauche de la virgule s'appelle **la partie entière**, celle située à droite de la virgule **la partie décimale**. Les chiffres de la partie décimale sont les **chiffres décimaux**.

• *Exemple :*

157,904

Partie entière : 157   Partie décimale : 0,904

Chiffre des mille	Chiffre des centaines	Chiffre des dizaines	Chiffre des	Chiffre des dixièmes	Chiffre des centièmes	Chiffre des millièmes	Chiffre des dix-millièmes
1	5	7	9	0	4		

Convention d'écriture : dès que c'est possible, on supprime les zéros inutiles.

• *Exemple :*

00825,0750 = 825,075
825,075 est l'écriture décimale réduite.

⚠ Un nombre entier est un nombre décimal dont l'écriture décimale réduite ne comporte pas de virgule.

• *Exemple :*

13,0 = 13.

⚠ On confond souvent la notion de nombre décimal avec celle de nombre à virgule.

• *Exemple :*

Le nombre 0,33333… qui comporte une infinité de chiffres après la virgule n'est pas un nombre décimal car le nombre de chiffres significatifs après la virgule ne s'arrête pas.

3. Comparaison de nombres

Comparer deux nombres, c'est déterminer s'ils sont égaux ou bien, dans le cas où ils sont différents, déterminer le plus grand des deux. On dispose pour cela des symboles suivants :

symbole	=	≠	<	>
signification	égal à	différent de	inférieur à	supérieur à
exemple	2 = 2,0	1 ≠ 2	1 < 2	2 > 1

a - Comparaison de nombres entiers

* Si deux nombres entiers n'ont pas le même nombre de chiffres, le plus grand des deux nombres est celui qui a le plus de chiffres.

• *Exemple :*

1 000 > 999

* Si deux nombres entiers ont le même nombre de chiffres, on compare les chiffres de même rang à partir de la gauche.

• *Exemples :*

$\boxed{2}$ 000 > $\boxed{1}$ 999 car **2** est plus grand que **1**.
3 $\boxed{5}$ 18 < 3 $\boxed{8}$ 05 car **8** est plus grand que **5**.

Cette méthode est appelée *méthode lexicographique* et elle est basée sur le principe du dictionnaire.

b - Comparaison de nombres décimaux

* On examine les *parties entières* des deux nombres que l'on compare. Le plus grand est celui qui a la partie entière la plus grande.

• *Exemple :*

$\boxed{11}$,99 < $\boxed{12}$,01 car la partie entière **11** est plus petite que la partie entière **12**.

* Si les parties entières sont égales, on compare alors les *parties décimales* chiffre à chiffre à partir des dixièmes suivant la méthode lexicographique.

• *Exemple :*

23,54**3** 7 < 23,54**5** car le chiffre des millièmes **3** est plus petit que le chiffre des millièmes **5**.

⚠ Cet exemple montre que ce n'est pas le nombre qui a le plus de décimales qui est forcément le plus grand.

c - Ranger des nombres

On dit que des nombres sont rangés dans **l'ordre croissant** lorsqu'ils sont rangés *du plus petit au plus grand.*

• *Exemple :*

Les nombres suivants sont rangés dans l'ordre croissant :
1,6 < 2,4 < 6,29 < 6,3 < 7 < 8,357 < 8,4 < 9,5

On dit que des nombres sont rangés dans **l'ordre décroissant** lorsqu'ils sont rangés *du plus grand au plus petit.*

• *Exemple :*

Les nombres suivants sont rangés dans l'ordre décroissant :
11 > 10,9 > 10,89 > 10 > 9,81 > 9,452 > 9,326 > 9,2

II

Les opérations du calcul

1. Addition

a - Somme et addition

Qu'est-ce qu'une somme ?

Définition

Chaque fois que l'on réunit des objets identiques, le résultat s'appelle une somme.

• *Exemple :*

8 billes   4 billes   12 billes

●●●●   ●●●●   ●●●●●●
●●●●   ●●●●●●

Si on réunit une collection de huit billes et une collection de quatre billes, on constate que l'on obtient douze billes (voir schéma ci-dessus). On en conclut donc que la somme de 8 et 4 est égale à 12. Ce que l'on écrit

$$8 + 4 = 12$$

Définition

On appelle addition l'opération qui permet de calculer la somme de deux ou plusieurs nombres.

---

b - Addition de nombres entiers

DÉMARCHE : Pour effectuer une addition, on décompose chaque nombre en unités, dizaines, centaines... On additionne ensuite les unités avec les unités, les dizaines avec les dizaines, les centaines avec les centaines et ainsi de suite.

• *Exemple :*

$$156 + 267 = (100 + 50 + 6) + (200 + 60 + 7)$$
$$= (100 + 200) + (50 + 60) + (6 + 7)$$
$$= 300 + 110 + 13$$
$$= 423$$

C'est ce principe que l'on utilise dans la technique de l'addition.

Méthode : Pour effectuer « à la main » une addition, il faut prendre bien soin d'aligner les chiffres de même rang.

• *Exemple :*

$$1^1 \ 5^1 \ 6$$
$$+ \ 2 \ 6 \ 7$$
$$\overline{4 \ 2 \ 3}$$

On commence le calcul par la colonne de droite : **6 + 7 = 13**.
On pose 3 dans la colonne des unités et on retient 1 (1 dizaine).

On recommence avec la colonne des dizaines : **1 + 5 + 6 = 12**. On pose 2 dans la colonne des dizaines et on retient 1 (1 centaine), et ainsi de suite.

156 et **267** sont les *termes* de l'addition, le résultat **423** est la *somme*.

c - Addition de nombres décimaux

Le procédé opératoire est identique à l'addition de nombres entiers : on aligne les chiffres de même rang ainsi que les virgules.

• *Exemple :*

$$2^1 \ 6^1 \ 3^1 \ 4, \ 2 \ 5$$
$$+ \ 1 \ 5 \ 7 \ 8, \ 7 \ 3 \ 5$$
$$\overline{4 \ 2 \ 1 \ 2, \ 9 \ 8 \ 5}$$

On effectue l'addition en commençant par la droite, puis on place la virgule du résultat sous les deux virgules des deux nombres.

d - Propriétés de l'addition

L'ordre n'intervient pas dans l'addition et l'on peut permuter l'ordre des termes sans que le résultat change.

Propriété

a et b sont deux nombres.

$$\boxed{a + b = b + a}$$

On dit que l'addition est **commutative**.

• *Exemple :*

$\left.\begin{array}{l} 2,5 + 4,7 = 7,2 \\ 4,7 + 2,5 = 7,2 \end{array}\right\}$ Les résultats sont identiques.

Lorsque l'on additionne plus de deux termes, on peut les regrouper de toutes les façons sans que le résultat change.

Propriété

a, b et c sont trois nombres

$$\boxed{a + (b + c) = (a + b) + c}$$

On dit que l'addition est **associative**.

• *Exemple :*

$\left.\begin{array}{l} 12 + (19,5 + 1,5) = 12 + 21 = 33 \\ (12 + 19,5) + 1,5 = 31,5 + 1,5 = 33 \end{array}\right\}$ Les résultats sont identiques.

2. Soustraction

a - Différence et soustraction

Qu'est-ce qu'une différence ?
Sur une table se trouve une collection de 15 livres. On en retire 6. Le nombre de livres restants est la *différence* entre 15 livres et 6 livres.

Définition

La différence de deux nombres est le nombre qu'il faut ajouter au plus petit pour avoir le plus grand.

• *Exemple :*
On sait que 6 + 9 = 15. Donc la différence entre 15 et 6 est 9.
On note 15 − 6 = 9.

Définition

On appelle soustraction l'opération qui permet de calculer la différence de deux nombres.

---

b - *Soustraction de nombres entiers*

Démarche : On décompose chaque nombre comme pour l'addition. On soustrait quand cela est possible les unités avec les unités, les dizaines avec les dizaines et ainsi de suite.

• *Exemple 1 :*
56 − 39 = (50 + 6) − (30 + 9)
La soustraction du nombre d'unités du petit nombre (9) de celui du grand nombre (6) n'est pas possible. On ajoute 10 au grand nombre et 10 au petit nombre. La différence reste inchangée.

$$56 - 39 = (50 + 10 + 6) - (30 + 10 + 9)$$
$$= (50 + 16) - (40 + 9)$$
$$= (50 - 40) + (16 - 9)$$
$$= 10 + 7$$
$$= 17$$

Pour rendre l'opération possible, on a appliqué le mécanisme de la retenue.

Méthode : Pour effectuer « à la main » une soustraction, il faut commencer par écrire le nombre le plus grand. On écrit en dessous du premier le deuxième nombre en alignant les chiffres de même rang.

• *Exemple :*

```
   2 3 ₁2 4
 −   ₁1 5 3
 ─────────
   2 1 7 1
```

On commence le calcul par la colonne de droite : 4 − 3 = 1.
On pose 1 dans la colonne des unités et on continue avec la colonne des dizaines.

Le calcul **2 − 5** est impossible : on le remplace par **12 − 5 = 7** et on compense en donnant une centaine sous forme de retenue. D'où le calcul **3 − 2 = 1**. Enfin, on abaisse le dernier chiffre **2**.

2 324 et **153** sont les *termes* de la soustraction, le résultat **2 171** s'appelle la *différence*. Elle n'est possible que si le premier terme est supérieur au second.

c - Soustraction de nombres décimaux

La technique opératoire est la même que pour les entiers : on aligne les chiffres de même rang les uns sous les autres ainsi que les virgules.

• *Exemple :*

$$5\ 7\ _14,\ 8\ _10$$
$$-\quad _16\ 5,\ _11\ 6$$
$$5\ 0\ 9,\ 6\ 4$$

On commence par la droite : la différence **0 − 6** est impossible, on effectue **10 − 6 = 4** et on retient 1 dans la colonne suivante. On effectue la différence **8 − 2 = 6** et ainsi de suite. On place la virgule du résultat sous les deux virgules des deux nombres.

⚠ Dans une soustraction, l'ordre a de l'importance :

• *Exemple :*
45 − 38 = 7
38 − 45 n'a pas de sens ici.

3. Multiplication

a - Produit et multiplication

Qu'est-ce qu'un produit ?
Dans un magasin, un article est vendu 7 €. Combien coûtent les cinq mêmes articles ?
Le prix total est donné par la somme :

$$7 + 7 + 7 + 7 + 7 = 35\ €$$

Cette somme de 5 termes égaux à 7 € s'appelle le produit de 7 € par 5.

On écrit à la place de la somme le calcul suivant :
$$7 \times 5 = 35$$

Définition

Le produit d'un nombre a par le nombre entier b est la somme de b nombres égaux à a

$$a \times b = \underbrace{a + a + ... + a}_{b \text{ termes}}$$

• *Exemple :*

$6 \times 4 = 6 + 6 + 6 + 6 = 24$

Définition

On appelle multiplication l'opération qui permet de calculer le produit de deux nombres.

b - Multiplication de nombres entiers

Démarche : **1er cas** : le multiplicateur a un chiffre.

• *Exemple :*

Soit à calculer le produit 362×4.

$362 \times 4 = 362 + 362 + 362 + 362$
$= (300 + 60 + 2) + (300 + 60 + 2) +$
$\quad (300 + 60 + 2) + (300 + 60 + 2)$
$= (300 + 300 + 300 + 300) +$
$\quad (60 + 60 + 60 + 60) + (2 + 2 + 2 + 2)$
$= 300 \times 4 + 60 \times 4 + 2 \times 4$

Cette somme contient 4 fois 3 centaines, 4 fois 6 dizaines et 4 fois 2 unités, soit :

12 centaines + 24 dizaines + 8 unités = 1200 + 240 + 8
= 1448.

2e cas : le multiplicateur a plusieurs chiffres.

• *Exemple :*

Soit à calculer le produit 362×24.
$$362 \times 24 = 362 \times (20 + 4).$$

On a donc 2 dizaines fois 362 et 4 unités fois 362. On sait calculer $362 \times 4 = 1448$.

En appliquant la démarche précédente, on obtient $362 \times 2 = 724$. On ajoute un zéro à la droite de 724 car il s'agit de 2 dizaines, soit 7240.

Il suffit maintenant d'ajouter les deux résultats partiels $1448 + 7240 = 8688$.

🔧 **Méthode :** Il n'est pas nécessaire d'aligner les chiffres de même rang, mais cela rend le calcul plus clair.

• *Exemples :*

$$\begin{array}{r} 2^2\ 5^1\ 3 \\ \times\qquad 4 \\ \hline 1\ 0\ 1\ 2 \end{array}$$

On commence le calcul par la droite : $4 \times 3 = 12$.
On pose 2 et on retient 1 (1 dizaine). $4 \times 5 = 20$. $20 + 1 = 21$. On pose 1 et on retient 2 (2 centaines). $4 \times 2 = 8$. $8 + 2 = 10$. On pose 10.

253 et **4** sont les *facteurs* de la multiplication et le résultat **1012** s'appelle le *produit*.

$$\begin{array}{r} 2\ 5\ 3 \\ \times\quad 6\ 4 \\ \hline 1\ 0\ 1\ 2 \\ 1\ 5\ 1\ 8 \\ \hline 1\ 6\ 1\ 9\ 2 \end{array}$$

$\mapsto 253 \times 4$
$\mapsto 253 \times 6$

On multiplie $253 \times 4 = 1012$, on obtient la ligne 1.
On multiplie $253 \times 6 = 1518$, on obtient la ligne 2.
Attention ! 6 étant le chiffre des dizaines, on décale le deuxième résultat **d'un cran vers la gauche**.

On additionne les deux lignes en commençant par la droite.

c - Multiplication de nombres décimaux

La technique opératoire est identique à celle des nombres entiers.

• *Exemple :*

$$\begin{array}{r} 4,\ 3\ 5 \\ \times\quad 7,\ 5 \\ \hline 2\ 1\ 7\ 5 \\ 3\ 0\ 4\ 5 \\ \hline 3\ 2,6\ 2\ 5 \end{array}$$

$\mapsto 435 \times 5$
$\mapsto 435 \times 7$

On effectue la multiplication comme s'il n'y avait pas de virgule.
Placement de la virgule : le premier facteur 4,35 a **2** chiffres après la virgule et le second 7,5 a **1** chiffre après la virgule. Le résultat aura $2 + 1 = 3$ chiffres après la virgule.

d - Propriétés de la multiplication

L'ordre n'intervient pas :

• *Exemple :*

   $6 \times 4 = 24 = 4 \times 6$

On peut permuter l'ordre des facteurs sans que le résultat final change.

Propriété

Quels que soient les nombres a et b, on a

$$a \times b = b \times a$$

On dit que la multiplication est commutative.

Lorsque l'on multiplie plus de deux facteurs, on peut les regrouper de toutes les façons sans que le résultat change.

Propriété

Quels que soient les nombres a, b et c, on a

$$(a \times b) \times c = a \times (b \times c)$$

On dit que la multiplication est associative.

Ces propriétés permettent souvent de faciliter les calculs.

• *Exemple :*

   Soit à calculer mentalement $25 \times 12,5 \times 4$.

   Il suffit de permuter l'ordre des facteurs 12,5 et 4 pour que le calcul devienne simple.

   $25 \times 12,5 \times 4 = (25 \times 4) \times 12,5 = 100 \times 12,5 = 1\ 250$

Propriété

Tout nombre multiplié par zéro donne zéro.

Pour tout nombre a, on a

$$a \times 0 = 0 \times a = 0$$

• *Exemple :*

   $13 \times 0 = 0 \times 13 = 0$

Propriété

Tout nombre multiplié par 1 reste inchangé.

Pour tout nombre a, on a

$$a \times 1 = 1 \times a = a$$

• *Exemple :*
   $13 \times 1 = 1 \times 13 = 13$

**e - Produit d'un nombre par une somme
   ou une différence**

• *Exemple :*
   Monsieur Lefort achète chaque jour du mois d'octobre un
   quotidien à 1,10 € et un pain à 0,90 €. Combien dépense-t-
   il pour le mois d'octobre ?
   On peut procéder de deux façons différentes :

🔧 **Première méthode :** on calcule la dépense journalière et on
               multiplie le résultat par le nombre de jours du
               mois d'octobre :
               $31 \times (1,10 + 0,90) = 31 \times 2 = 62$ €

🔧 **Deuxième méthode :** on calcule séparément les deux dépen-
               ses et on additionne les résultats :
               $31 \times 1,10 + 31 \times 0,90 = 34,10 + 27,90 = 62$ €

On en conclut que les deux calculs sont égaux :
$31 \times (1,10 + 0,90) = 31 \times 1,10 + 31 \times 0,90$.
On dit que l'on a distribué le facteur 31 à chacun des termes
de la somme.

Propriété

**La multiplication est distributive par rapport à l'addition.
Quels que soient les nombres a, b et c, on a**
$$a \times (b + c) = a \times b + a \times c$$

Cette propriété est vraie également pour la soustraction :

• *Exemple :*
$$6 \times (25 - 14) = 6 \times 11 = 66.$$
$$6 \times 25 - 6 \times 14 = 150 - 84 = 66$$
On conclut de la même façon que :
$$6 \times (25 - 14) = 6 \times 25 - 6 \times 14.$$
On dit que l'on a distribué le facteur 6 à chacun des termes
de la différence.

> **Propriété**
>
> La multiplication est distributive par rapport à la soustraction.
>
> Quels que soient les nombres a, b et c, on a
> $$a \times (b - c) = a \times b - a \times c$$

4. Division

a - Quand utilise-t-on la division ?

> **Définition**
>
> On utilise l'opération division dès qu'apparaît la notion de partage en parts égales.

Démarche

• *Exemple :*

Un fleuriste dispose de 69 roses. Il veut préparer des bouquets de 7 roses chacun. Combien de bouquets peut-il préparer ?

Concrètement on cherche combien de groupes de 7 on peut faire dans 69.

On cherche dans la table des 7 le nombre qui se rapproche le plus de 69 : c'est 70, mais il est trop grand. On prend donc son prédécesseur dans la table de 7 qui est 63. $63 = 7 \times 9$.

Le fleuriste peut réaliser 9 bouquets de 7 roses et il reste 6 roses.

Ce partage définit l'opération que l'on appelle **division** de 69 par 7.

Le nombre total de roses 69 s'appelle le **dividende**.

Le nombre de roses par bouquet 7 s'appelle le **diviseur**.

Le nombre de bouquets réalisés 9 s'appelle le **quotient entier**.

Le nombre de roses restantes 6 s'appelle le **reste**.

Ils sont disposés de la manière suivante :

Dividende	Diviseur
	Quotient
Reste	

Méthode :

$$\begin{array}{c|c}
\overbrace{1\ 8\ \textcircled{4}} & 8 \\
-\ 1\ 6\ \downarrow & 2\ 3 \\
\quad 2\ 4 & \\
-\ 2\ 4 & 4 \\
\hline
\quad\ \ 0 &
\end{array}$$

On prend le premier chiffre en partant de la gauche de 184, c'est-à-dire 1. En 1 combien de fois 8 ? **Impossible.** On prend donc les deux premiers chiffres : 18. En 18 combien de fois 8 ? Il y va **2** fois. On pose 2 au quotient. $2 \times 8 = 16$. On pose la soustraction $18 - 16 = 2$. Il reste 2 et on abaisse le chiffre des unités 4. En 24 combien de fois 8 ? Il y va **3** fois. On pose 3 au quotient. $3 \times 8 = 24$. On pose la soustraction $24 - 24 = 0$. Il reste **0**.

Définition

On dit qu'une division est exacte quand le reste est égal à zéro.

On peut alléger la présentation des calculs en ne notant que les restes.

• *Exemple :*

$$\begin{array}{c|c}
2\ 7\ 8 & 1\ 3 \\
\quad 1\ 8 & 2\ 1 \\
\quad\quad 5 &
\end{array}$$

Propriété

Dans une division de nombres entiers, le dividende est égal au produit du diviseur par le quotient, plus le reste. Le reste est inférieur au diviseur.

$$\begin{array}{c|c}
a & b \\
\hline
r & q
\end{array}$$

a est le dividende, *b* est le diviseur, *q* est le quotient et *r* est le reste.

a, *b*, *q* et *r* sont des nombres entiers et on a
$$\boxed{a = b \times q + r \text{ avec } r < b}$$

• *Exemple :*

$$\begin{array}{c|c}
3\ 2\ 4 & 2\ 9 \\
\quad 3\ 4 & 1\ 1 \\
\quad\quad 5 &
\end{array}$$

On a : $324 = 29 \times 11 + 5$ et $5 < 29$

⚠ Toute égalité de cette forme ne traduit pas une division.

- *Exemple :*

  Soit l'égalité suivante 338 = (23 × 14) + 16.
  Grâce à cette égalité, on peut affirmer que le quotient de 338 par 23 est 14 et que le reste est 16. Par contre, elle ne donne pas le quotient de 338 par 14. En effet le reste 16 est supérieur au diviseur 14, ce qui est impossible.

⚠ La division par zéro est impossible.

b - Division de nombres décimaux

- *Exemple :*

  Soit à répartir de manière équitable la somme de 275 € entre 16 personnes.

Méthode :

```
  2 7 5, 0 0  │ 1 6
 − 1 6        │ ─────────
  ─────       │ 1 7, 1 8
    1 1 5
  − 1 1 2
  ───────
      3 0
    − 1 6
    ─────
      1 4 0
    − 1 2 8
    ───────
        1 2
```

On opère de même façon que pour la division de nombres entiers en mettant une virgule au quotient avant d'abaisser le premier chiffre décimal du dividende.
On arrête l'opération lorsqu'on a obtenu le nombre de chiffres décimaux demandé.

Chaque personne reçoit 17,18 € et il reste 12 centimes. Dans le cas présent, on continue après la virgule au quotient car on peut partager les euros en centimes.

Que se passe-t-il si le diviseur comporte une virgule ?

- *Exemple :*

  On souhaite diviser 138,24 par 2,4.
  On se ramène au cas précédent en convertissant le diviseur en dixièmes : **2,4 = 24 dixièmes**. On fait donc de même pour le dividende. Ainsi **138,24 = 1382,4 dixièmes**. La division **138,24 : 2,4** est remplacée par la division **1382,4 : 24**.

I. LE CALCUL

```
1 3 8 2, 4 | 2 4
− 1 2 0     ———
    1 8 2   5 7, 6
  − 1 6 8
      1 4 4
    − 1 4 4
        0
```

138,24 : 2,4 = 1382,4 : 24 = 57,6.
On a supprimé la virgule au diviseur, et on décale la virgule du dividende d'un cran vers la droite.

Règle : Dans une division de nombres décimaux, on supprime la virgule du diviseur et on décale vers la droite la virgule du dividende d'autant de rangs qu'il y avait de chiffres décimaux au diviseur. On est ramené au cas d'un diviseur entier.

Nombres en écriture fractionnaire

1. Fractions

a - Notion de fraction

Qu'est-ce qu'une fraction ?
Considérons un segment de droite [AB] de longueur 1. Divisons-le en cinq parties égales. Chaque segment ainsi obtenu représente une *fraction* du segment [AB].

A   B

On note cette fraction $\frac{1}{5}$ et on lit « un cinquième », Si nous mettons bout à bout 3 segments de longueur $\frac{1}{5}$, on obtient la fraction trois cinquièmes que l'on note $\frac{3}{5}$.

Définition

Une fraction est un nombre écrit sous la forme $\frac{a}{b}$ où (a ; b) désigne un couple d'entiers naturels avec b non nul. Les nombres a et b sont les termes de la fraction. a s'appelle le numérateur et b le dénominateur.

• *Exemple :*

Barre de fraction $\mapsto \frac{5}{9}$ 5 est le numérateur et 9 le dénominateur.
On lit « cinq neuvièmes » ou « cinq sur neuf ». On peut aussi écrire 5/9. On remplace le trait horizontal par un trait oblique.
Quelques fractions usuelles :
$\frac{1}{2}$ se lit « un demi » ou « un sur deux ».

$\dfrac{4}{3}$ se lit « quatre tiers ».

$\dfrac{3}{4}$ se lit « trois quarts ».

Au-delà, on rajoute la terminaison « ième ».

⚠ On ne peut pas écrire de fraction avec un dénominateur nul car on ne sait pas diviser par zéro.

Quel que soit l'entier a considéré, $\dfrac{a}{0}$ n'a pas de sens.

• *Exemple :*

$\dfrac{5}{0}$ n'a pas de sens alors que $\dfrac{0}{5} = 0$.

Propriété

Tout nombre entier peut s'écrire sous forme d'une fraction.

Quel que soit l'entier a, $a = \dfrac{a}{1}$.

• *Exemple :*

$9 = \dfrac{9}{1}$

b - Fractions décimales

Définition

Une fraction est décimale quand son dénominateur est 10 ou une puissance de 10 (100, 1000...).

• *Exemples :*

$\dfrac{5}{10}$, $\dfrac{75}{100}$, $\dfrac{527}{100}$, $\dfrac{8\,904}{1\,000}$ et $\dfrac{6}{10\,000}$ sont des fractions décimales.

Propriété

Tout nombre décimal peut s'écrire sous forme d'une fraction décimale.

• *Exemples :*

Écriture décimale du nombre	Ce nombre contient	Écriture fractionnaire du nombre
0,4	4 dixièmes	$\dfrac{4}{10}$
0,57	57 centièmes	$\dfrac{57}{100}$
0,679	679 millièmes	$\dfrac{679}{1\ 000}$
5,683	5 683 millièmes	$\dfrac{5\ 683}{1\ 000}$

Dans chacun des cas le trait de fraction représente l'opération division. Pour passer de l'écriture fractionnaire à l'écriture décimale, il suffit d'effectuer la division.

• *Exemples :*

$$\frac{341}{100} = 3{,}41 \qquad \frac{782}{1\ 000} = 0{,}782$$

⚠ Si tout nombre décimal admet une écriture fractionnaire, le contraire n'est pas toujours vrai.

• *Exemple :*

$\dfrac{1}{4}$ peut s'écrire 0,25, en revanche $\dfrac{2}{3}$ n'admet pas d'écriture décimale. En effet $\dfrac{2}{3}$ = 0,666... La suite des décimales est illimitée.

c - *Prendre une fraction d'un nombre*

• *Exemple :*

Prendre les $\dfrac{4}{5}$ d'un sac de billes qui en contient 180 signifie que l'on divise la quantité de billes en cinq parts et que l'on prend quatre parts. Ce qui se traduit par la séquence de calcul suivante : (180 : 5) × 4 = 36 × 4 = 144.

On peut aussi présenter le calcul sous la forme $180 \times \dfrac{4}{5}$ ou $\dfrac{4}{5} \times 180$, ce qui s'écrira dans les deux cas $\dfrac{180 \times 4}{5}$. Ce que l'on peut traduire par la séquence de calcul suivante :

$$(180 \times 4) : 5 = 720 : 5 = 144$$

Définition

Pour prendre une fraction d'un nombre, on multiplie le nombre par le numérateur et on divise le résultat par le dénominateur.

$$k \times \frac{a}{b} = \frac{k \times a}{b}$$

• *Exemple :*

$$60 \times \frac{4}{3} = \frac{60 \times 4}{5} = \frac{240}{3} = 80$$

d - *Fractions égales*

Quand peut-on dire que deux fractions sont égales ?

Propriété

Si l'on multiplie ou, quand cela est possible, si l'on divise le numérateur et le dénominateur par le même nombre non nul, on obtient une fraction équivalente.

• *Exemple :*

$$\frac{2}{3} = \frac{4}{6} = \frac{14}{21} = \ldots = \frac{2 \times n}{3 \times n}.$$

Plus généralement $\dfrac{a}{b} = \dfrac{2 \times a}{2 \times b} = \dfrac{3 \times a}{3 \times b} = \ldots = \dfrac{n \times a}{n \times b}.$

Comment reconnaître deux fractions égales ?

Propriété

Deux fractions sont égales si les produits obtenus en multipliant le numérateur de l'une par le dénominateur de l'autre sont égaux.

$$\frac{a}{b} = \frac{a'}{b'}, \text{ si } a \times b' = a' \times b$$

• *Exemple :*

$\dfrac{2}{30} = \dfrac{13}{195}$ car $2 \times 195 = 390$ et $30 \times 13 = 390$.

En revanche $\dfrac{4}{17} \neq \dfrac{5}{21}$ car $4 \times 21 = 84$ et $17 \times 5 = 85$.

e - Simplifier des fractions

Considérons la série de fractions égales suivante :

$$\dfrac{3}{4} = \dfrac{6}{8} = \dfrac{9}{12} = \dfrac{12}{16} = \dfrac{15}{20} = \dfrac{30}{40} = \dfrac{45}{60} = \dots$$

Si dans un calcul on rencontre la fraction $\dfrac{15}{20}$, on a tout intérêt à la remplacer par la fraction $\dfrac{3}{4}$ qui est équivalente mais où les termes (le numérateur et le dénominateur) sont plus petits, donc plus faciles à manipuler.

> ## Définition
> Simplifier une fraction, c'est la remplacer par une fraction égale dont le numérateur et le dénominateur sont plus petits. Pour cela, on divise, quand cela est possible, ses deux termes par le même nombre.

• *Exemple de simplification :*

En pratique, on simplifie une fraction en divisant le numérateur et le dénominateur par leurs diviseurs communs apparents.

$$\dfrac{1260}{1980} = \dfrac{1260 : 10}{1980 : 10} = \dfrac{126 : 2}{198 : 2} = \dfrac{63 : 9}{99 : 9} = \dfrac{7}{11}$$

La fraction $\dfrac{7}{11}$ ne peut être simplifiée davantage, on dit qu'elle est irréductible.

> ## Définition
> Une fraction est irréductible s'il n'existe pas de fraction égale ayant des termes plus petits.

2. Calculer avec des fractions

a - Addition de fractions

Il faut distinguer deux cas :

* **Les fractions ont le même dénominateur.**

Règle : Pour additionner des fractions ayant le même dénominateur, on additionne les numérateurs et on laisse inchangé le dénominateur.

$$\frac{a}{d} + \frac{b}{d} = \frac{a+b}{d}$$

• *Exemple :*

$$\frac{3}{5} + \frac{8}{5} = \frac{3+8}{5} = \frac{11}{5}$$

* **Les fractions ont des dénominateurs différents.**

Règle : Pour additionner des fractions qui n'ont pas le même dénominateur, on les réduit au même dénominateur puis on additionne les numérateurs en laissant inchangé le dénominateur.

• *Exemple :*

$$\frac{2}{3} + \frac{3}{5} + \frac{1}{2}$$

On réduit les trois fractions au même dénominateur . Dans cet exemple, 30 est le plus petit dénominateur commun.

$$\frac{2}{3} = \frac{2 \times 10}{3 \times 10} = \frac{20}{30} \quad \frac{3}{5} = \frac{3 \times 6}{5 \times 6} = \frac{18}{30} \quad \frac{1}{2} = \frac{1 \times 15}{2 \times 15} = \frac{15}{30}$$

$$\frac{2}{3} + \frac{3}{5} + \frac{1}{2} = \frac{20}{30} + \frac{18}{30} + \frac{15}{30} = \frac{20 + 18 + 15}{30} = \frac{53}{30}$$

Cas particulier : addition d'un nombre entier et d'une fraction.

• *Exemple :*

$$2 + \frac{3}{4}$$

Le nombre entier 2 est égal à la fraction $\dfrac{2}{1}$.

$$2 + \frac{3}{4} = \frac{2}{1} + \frac{3}{4} = \frac{2 \times 4}{1 \times 3} + \frac{3}{4} = \frac{8}{4} + \frac{3}{4} = \frac{11}{4}$$

b - Soustraction de fractions

Les règles de calcul pour la soustraction sont semblables à celles de l'addition. On distingue les deux mêmes cas :

* **Les fractions ont le même dénominateur.**

🎓 **Règle :** Pour soustraire des fractions ayant le même dénominateur, on soustrait les numérateurs et on laisse inchangé le dénominateur.

$$\boxed{\frac{a}{d} - \frac{b}{d} = \frac{a - b}{d} \ (a < b)}$$

• *Exemple :*

$$\frac{9}{11} - \frac{5}{11} = \frac{4}{11}$$

* **Les fractions ont des dénominateurs différents.**

🎓 **Règle :** Pour soustraire des fractions qui n'ont pas le même dénominateur, on les réduit au même dénominateur puis on additionne les numérateurs en laissant inchangé le dénominateur.

• *Exemple :*

$$\frac{8}{3} - \frac{5}{7} = \frac{8 \times 7}{3 \times 7} - \frac{5 \times 3}{7 \times 3} = \frac{56}{21} - \frac{15}{21} = \frac{41}{21}$$

⚠️ L'ordre intervient dans la soustraction.

c - Multiplication de fractions

🎓 **Règle :** Pour multiplier deux fractions, on multiplie les numérateurs entre eux et les dénominateurs entre eux.

$$\boxed{\frac{a}{b} \times \frac{c}{d} = \frac{a \times c}{b \times d}}$$

• *Exemple :*

$$\frac{3}{7} \times \frac{4}{5} = \frac{3 \times 4}{7 \times 5} = \frac{12}{35}$$

Cas particulier : multiplication d'une fraction par un nombre entier.

• *Exemple :*

$$4 \times \frac{11}{9}$$

Le nombre entier 4 peut s'écrire sous forme de la fraction $\frac{4}{1}$.

$$4 \times \frac{11}{9} = \frac{4}{1} \times \frac{11}{9} = \frac{44}{9}$$

En pratique : on multiple le nombre entier et le numérateur de la fraction entre eux et on laisse inchangé le dénominateur.

3. Comparaison de fractions

Il faut distinguer deux cas :

* **Les fractions ont le même dénominateur.**

🎓 **Règle :** Il suffit de comparer les numérateurs, la plus grande fraction est celle qui a le plus grand numérateur.

$$\boxed{\begin{array}{l} \frac{a}{d} < \frac{b}{d} \text{ si } a < b \\[2mm] \frac{a}{d} > \frac{b}{d} \text{ si } a > b \end{array}}$$

• *Exemple :*

$$\frac{3}{7} < \frac{11}{7} \quad \text{car } 3 < 11$$

* **Les fractions ont des dénominateurs différents.**

🎓 **Règle :** On réduit les fractions au même dénominateur. On compare ensuite les numérateurs en appliquant la règle précédente.

• *Exemple :*

On veut comparer les fractions $\frac{2}{3}$ et $\frac{3}{4}$.

$\frac{2}{3} = \frac{2 \times 4}{3 \times 4} = \frac{8}{12}$ et $\frac{3}{4} = \frac{3 \times 3}{4 \times 3} = \frac{9}{12}$

or $\frac{8}{12} < \frac{9}{12}$ donc $\frac{2}{3} < \frac{3}{4}$.

4. Quotients

a - Notion de quotient

Qu'est-ce qu'un quotient ?

Un quotient est une écriture d'un nombre sous les formes $\frac{a}{b}$, a/b ou $a : b$, où a représente un nombre et b représente un nombre non nul.

• *Exemples :*

$\frac{7}{5}$, 18 : 37, $\frac{3,4}{5,8}$, 7/6 et $\frac{2 + 5}{6 - 3}$ sont autant d'exemples de quotients.

Comment définir un quotient ?

On dira par exemple du quotient $\frac{7}{5}$ que c'est le nombre qui, multiplié par 5, donne le nombre 7.

En effet $5 \times \frac{7}{5} = \frac{5 \times 7}{5} = \frac{35}{5} = \frac{7}{1} = 7$.

> ### Définition
> a, b et x désignent trois nombres avec b non nul. Si la multiplication du nombre x par b donne le nombre a, alors x est le quotient de a par b et on le note $\frac{a}{b}$. Comme pour les fractions, a est le numérateur et b le dénominateur.

• *Exemple :*

Le quotient de 6,3 par 5 est le nombre x qui, multiplié par 5, donne 6,3. $\dfrac{6,3}{5}$ est une écriture fractionnaire du nombre x. On peut aussi donner une écriture décimale du nombre x en effectuant la division 6,3 : 5 = 1,26. 1,26 est l'écriture décimale du nombre x.

⚠ Tous les quotients n'admettent pas forcément une écriture décimale.

• *Exemple :*

$\dfrac{12}{13}$ = 0,923 076 923 076...

La suite des décimales est illimitée. On ne peut pas donner de valeur exacte du quotient mais seulement une approximation décimale.

b - *Approximation décimale d'un quotient*

• *Exemple :*

$\dfrac{5}{13}$ = 0,384 615 384...

Il existe deux méthodes pour donner une valeur approchée de ce quotient :

Première méthode : La troncature

Nombre	Tronca-ture à l'unité	Tronca-ture au dixième	Tronca-ture au centième	Tronca-ture au millième
$\dfrac{5}{13}$ = 0,384 615...	0	0,3	0,38	0,384

Deuxième méthode : L'arrondi
On fixe le nombre n de décimales. On remplace le quotient par le nombre décimal à n décimales qui est le plus proche du quotient.

Nombre	Arrondi à l'unité	Arrondi au dixième	Arrondi au centième	Arrondi au millième
$\dfrac{5}{13}$ = 0,384 615...	0	0,4	0,38	0,385

Règle : On arrondit à la valeur inférieure si le premier chiffre que l'on supprime est 0, 1, 2, 3 ou 4.

On arrondit à la valeur supérieure si le premier chiffre que l'on supprime est 5, 6, 7, 8 ou 9.

c - Quotients et fractions

> **Propriété**
> Un quotient de nombres entiers est une fraction.

• *Exemple :*

$\dfrac{2}{3}$ est à la fois une fraction et un quotient. Par contre le quotient $\dfrac{2,3}{3}$ n'est pas une fraction car 2,3 n'est pas un nombre entier.

> **Propriété**
> On peut toujours transformer un quotient en une fraction.

• *Exemple :*

Le quotient $\dfrac{2,75}{1,2}$ n'est pas une fraction. On convertit en centièmes 2,75 et 1,2 de manière à obtenir des nombres entiers : 2,75 = 275 centièmes et 1,2 = 120 centièmes . On obtient ainsi la fraction $\dfrac{275}{120}$.

Conséquence : toutes les propriétés des fractions sont aussi vraies pour les quotients.

En particulier : on ne change pas un quotient quand on multiplie ou quand on divise le numérateur et le dénominateur par le même nombre non nul.

• *Exemple :*

$$\dfrac{3,5}{2,5} = \dfrac{3,5 \times 2}{2,5 \times 2} = \dfrac{7}{5}$$

On obtient une fraction plus simple à manipuler que le quotient.

Les règles de calcul pour les quotients sont les mêmes que celles établies pour les fractions.

• *Exemple d'addition :*

$$\frac{1,5}{2,5} + \frac{4,5}{2,5} = \frac{1,5 + 4,5}{2,5} = \frac{6}{2,5}$$

• *Exemple de soustraction :*

$$\frac{2,3}{3,1} - \frac{1,7}{3,1} = \frac{2,3 - 1,7}{3,1} = \frac{0,6}{3,1}$$

Si les quotients n'ont pas les mêmes dénominateurs, on les réduit au même dénominateur comme pour les fractions.

• *Exemple de multiplication :*

$$\frac{3,5}{7,1} \times \frac{2,1}{4,6} = \frac{3,5 \times 2,1}{7,1 \times 4,6} = \frac{7,35}{32,66}$$

d - Nombres inverses

Définition

Deux nombres sont appelés nombres inverses lorsque leur produit est égal à 1.

• *Exemple :*

2 et 0,5 sont des nombres inverses car $2 \times 0,5 = 1$.
1 est son propre inverse.
0 est le seul nombre qui n'a pas d'inverse.

Inverse d'un quotient : Le quotient $\frac{a}{b}$ a pour inverse le quotient $\frac{b}{a}$.

En effet $\frac{a}{b} \times \frac{b}{a} = \frac{a \times b}{b \times a} = 1$.

• *Exemple :*

La fraction $\frac{3}{4}$ a pour inverse $\frac{4}{3}$. $\frac{3}{4} \times \frac{4}{3} = \frac{12}{12} = 1$.

Cas particuliers : L'entier n non nul peut se noter $\frac{n}{1}$. Il a pour inverse $\frac{1}{n}$.

• *Exemple :*

L'entier 4 a pour inverse $\dfrac{1}{4}$. $\dfrac{4}{1} \times \dfrac{1}{4} = \dfrac{4}{4} = 1$.

Le nombre décimal x non nul a pour inverse le quotient $\dfrac{1}{x}$.

• *Exemple :*

Le nombre décimal 3,5 a pour inverse $\dfrac{1}{3,5}$.

5. Quotients de fractions

• *Exemple :*

On souhaite calculer le quotient de la fraction $\dfrac{2}{3}$ par la fraction $\dfrac{7}{5}$. C'est le nombre qui multiplié par $\dfrac{5}{7}$ donne $\dfrac{2}{3}$. On cherche donc le quotient $\dfrac{a}{b}$ tel que $\dfrac{5}{7} \times \dfrac{a}{b} = \dfrac{2}{3}$. On multiplie les deux membres de l'égalité par la fraction $\dfrac{7}{5}$.

$\dfrac{7}{5} \times \dfrac{5}{7} \times \dfrac{a}{b} = \dfrac{7}{5} \times \dfrac{2}{3}$. Après simplification par 7 et 5, on obtient $\dfrac{a}{b} = \dfrac{7}{5} \times \dfrac{2}{3}$. Autrement dit, pour obtenir la fraction $\dfrac{a}{b}$, on a multiplié la fraction dividende $\dfrac{2}{3}$ par l'inverse de la fraction diviseur $\dfrac{5}{7}$. On peut énoncer la règle suivante :

Règle : Pour calculer le quotient de deux fractions, on multiplie la fraction dividende par l'inverse de la fraction diviseur.

$$\dfrac{a}{b} : \dfrac{c}{d} = \dfrac{a}{b} \times \dfrac{d}{c}$$

Cela suppose que la fraction diviseur n'est pas nulle.

• *Exemple :*

$$\dfrac{6}{5} : \dfrac{7}{4} = \dfrac{6}{5} \times \dfrac{4}{7} = \dfrac{24}{35}$$

À la place du signe opératoire « : », on peut utiliser un « trait » de fraction.

• *Exemple :*

$$\frac{\dfrac{10}{3}}{\dfrac{5}{9}} = \frac{10}{3} \times \frac{9}{5} = \frac{90}{15} = 6$$

Cas particuliers :

* **Quotient d'une fraction par un nombre entier :**

• *Exemple :*

$$\frac{9}{5} : 3 = \frac{9}{5} : \frac{3}{1} = \frac{9}{5} \times \frac{1}{3} = \frac{9}{15} = \frac{3}{5}$$ après simplification par 3.

$$\boxed{\frac{a}{b} : c = \frac{a}{b} \times \frac{1}{c} = \frac{a}{b \times c}}$$

* **Quotient d'un nombre entier par une fraction :**

• *Exemple :*

$$4 : \frac{5}{3} = 4 \times \frac{3}{5} = \frac{12}{5}$$

$$\boxed{a : \frac{c}{d} = a \times \frac{d}{c} = \frac{a \times d}{c}}$$

Les nombres relatifs

1. Premières notions

Le tableau présente les températures minimales relevées à Paris du 1er janvier au 14 janvier.

Jour	1	2	3	4	5	6	7
Température	− 2	− 3	− 5	− 3	− 4	− 2	0
Jour	8	9	10	11	12	13	14
Température	+ 1	+ 3	+ 4	+ 2	+ 1	0	− 2

On distingue, dans ce tableau, deux sortes de températures :
− les températures négatives qui sont précédées par le signe (−).
Ce sont les températures inférieures à zéro.
− les températures positives qui sont précédées par le signe (+).
Ce sont les températures supérieures à zéro.
Ces nombres *positifs* et *négatifs* sont appelés *nombres relatifs*.

> ### Définition
> Un nombre relatif se compose d'un signe (+ ou −) et d'une « partie numérique » que l'on appelle distance à zéro.

• *Exemples :*

(+ 6) est un nombre entier relatif positif. Son signe est +, sa distance à zéro est 6.

(+ 7,5) est un nombre décimal positif. Son signe est +, sa distance à zéro est 7,5.

$\left(+ \dfrac{1}{3} \right)$ est une fraction relative positive.

Dans le cas des nombres positifs, on peut se passer de mettre le signe (+). On notera plus simplement ces nombres 6, 7,5 et $\frac{1}{3}$.

(− 3) est un nombre entier relatif négatif. Son signe est (−) et sa distance à zéro est 3.

(− 4,5) et $\left(-\frac{1}{7}\right)$ sont aussi des nombres relatifs négatifs.

0 n'a pas de signe car il est à la fois positif et négatif.

Définition

Deux nombres sont opposés lorsqu'ils ont la même distance à zéro et qu'ils sont de signes contraires.

• *Exemple :*

3,5 et − 3,5 sont deux nombres opposés.
0 est son propre opposé.

2. Comparaison de nombres relatifs

On peut placer les nombres relatifs sur une droite graduée orientée. Chaque point est repéré par un nombre que l'on appelle abscisse.

Point	A	B	C	D	E	F	G
Abscisse	− 3,5	− 5	− 2	5,5	2,5	4	− 6,5

```
      G   B   A    C              E   F    D
   ┼┼┼┼┼┼┼┼┼┼┼┼┼┼┼┼┼┼┼┼┼┼┼┼┼┼┼┼┼┼┼┼┼┼┼┼┼┼┼►
   − 6,5 − 5 − 3,5 − 2    0   1   2,5  4   5,5
```

En tenant compte de la position des points et du sens de parcours indiqué par la flèche, on peut classer les nombres :
− 6,5 < − 5 < − 3,5 < − 2 < 2,5 < 4 < 5,5

Règle : Comparaison des nombres relatifs :
Entre deux nombres négatifs, le plus grand est celui qui a la plus petite distance à zéro.

• *Exemple :*

− 4 < − 2 car − 2 est le plus proche de 0.

🎓 **Règle :** Entre un nombre relatif positif et un nombre relatif négatif, le plus grand est le nombre positif.

• *Exemple :*

− 6,5 < 1

3. Calculer avec des nombres relatifs

a - Addition de nombres relatifs

Il faut bien distinguer le signe opératoire du signe du nombre.

1er cas : les nombres ont le même signe.

Je reçois 6,5 € puis 4,5 € Il s'agit de deux gains que j'ajoute 6,5 + 4,5 = 11.
(+ 6,5) + (+ 4,5) = + (6,5 + 4,5) = (+ 11)
Je dépense 3 € puis 6,5 €. Il s'agit de deux pertes que j'ajoute 3 + 6,5 = 9,5.
(− 3) + (− 6,5) = − (3 + 6,5) = (− 9,5)

🎓 **Règle :** Pour additionner deux nombres de même signe :
1- On additionne leurs distances à zéro.
2- On donne au résultat obtenu le signe commun aux deux nombres.

2e cas : les nombres sont de signes différents.

Je reçois 15 € puis je dépense 6 €. Il s'agit d'un gain suivi d'une perte. Le bilan est positif car j'ai reçu plus que je n'ai dépensé. Pour connaître le résultat, on calcule la différence 15 − 6 = 9.
(+ 15) + (− 6) = + (15 − 6) = + 9
Je reçois 5 € puis je dépense 20 €. Il s'agit d'un gain suivi d'une perte. Le bilan est négatif car j'ai dépensé plus que je n'ai reçu. Pour connaître le résultat, on calcule la différence 20 − 5 = 15.
(+ 5) + (− 20) = − (20 − 5) = (− 15)

Règle : Pour additionner deux nombres de signes différents :
1- On soustrait la plus petite distance à zéro de la plus grande.
2- On donne au résultat obtenu le signe du nombre qui a la plus grande distance à zéro.

L'ordre n'a pas d'importance. On peut inverser l'ordre des termes car l'addition est commutative.

La somme de deux nombres opposés est égale à zéro.

• *Exemple :*

$(- 9) + (+ 9) = 0$

On peut alléger l'écriture en supprimant les parenthèses inutiles et les signes (+).

• *Exemples :*

$(+ 6,5) + (+ 4,5) = 6,5 + 4,5 = 11$
$(- 3) + (- 6,5) = - 3 + (- 6,5) = - 9,5$
$(+ 15) + (- 6) = 15 + (- 6) = 9$
$(+ 5) + (- 20) = 5 + (- 20) = - 15$

b - Soustraction de nombres relatifs

> ### Définition
> **On appelle différence de deux nombres relatifs le nombre qu'il faut ajouter au second pour obtenir le premier.**

Ainsi si on a $\boxed{a - b = x}$, on a aussi $\boxed{a = b + x}$.

• *Exemples :*

$19 - 12 = 7$	car $12 + 7 = 19$
$- 5 - (- 11) = 6$	car $(- 11) + 6 = - 5$
$- 7 - 10 = - 17$	car $10 + (- 17) = - 7$
$6 - (- 4,5) = 10,5$	car $(- 4,5) + 10,5 = 6$

Règle : Pour soustraire un nombre relatif, on ajoute son opposé.

• *Exemples :*

$19 - 12 = 19 + (- 12) = 7$
$- 5 - (- 11) = - 5 + 11 = 6$
$- 7 - 10 = - 7 + (- 10) = - 17$
$6 - (- 4,5) = 6 + 4,5 = 10,5$

On récapitule ainsi les simplifications d'écriture pour l'addition et la soustraction :

+ devant **+** se remplace par **+** $(+ 5) + (+ 3) = 5 + 3 = 8$
+ devant **−** se remplace par **−** $(+ 6) + (- 5) = 6 - 5 = 1$
− devant **+** se remplace par **−** $(+ 6) - (+ 9) = 6 - 9 = - 3$
− devant **−** se remplace par **+** $(+ 7) - (- 8) = 7 + 8 = 15$

c - *Somme algébrique*

Définition
Une somme algébrique est une suite d'additions et de soustractions.

• *Exemple :*

$B = (- 4) + (- 10) + (+ 4,3) + (- 5,1) - (- 7)$
On réécrit l'expression avec le minimum de signes.
$B = - 4 - 10 + 4,3 - 5,1 + 7$
On regroupe d'une part les termes précédés du signe $(-)$ et les termes précédés par le signe $(+)$ d'autre part.
$B = (4,3 + 7) - (4 + 10 + 5,1)$
$\quad = 11,3 - 19,1$
$\quad = - 7,8$

d - *Multiplication de nombres relatifs*

On distingue trois cas :
   * **Produit de deux nombres positifs**
     $(+ 4) \times (+ 3) = 4 \times 3 = 12$ C'est une multiplication ordinaire.
   * Produit de deux nombres de signes contraires
     $(+ 4) \times (- 3) = (- 3) + (- 3) + (- 3) + (- 3)$
     $= - (3 + 3 + 3 + 3) = - 12$

Le produit de 4 par l'opposé de 3 donne l'opposé de 12, soit -12.

$(-4) \times (+3) = -4 \times 3 = -12$

Le produit de l'opposé de 4 par 3 donne l'opposé de 12, soit -12.

* **Produit de deux nombres négatifs**

$(-4) \times (-3) = -4 \times (-3) = -(4 \times (-3))$
$= -(-12) = 12$

En se basant sur les deux exemples précédents, on peut dire que le produit de (-4) par (-3) donne l'opposé de l'opposé de 12, soit 12.

Règle : Règle des signes :

Le produit de deux nombres de même signe est un nombre positif.

Le produit de deux nombres de signes contraires est un nombre négatif.

Règle : Pour multiplier deux nombres relatifs, on applique la règle des signes et on multiplie les distances à zéro.

• *Exemples :*

$(+4,2) \times (+5) = 4,2 \times 5 = 21$
$7 \times (-5) = -(7 \times 5) = -35$
$(-4) \times (-9) = +(4 \times 9) = 36$

La multiplication de nombres relatifs conserve toutes les propriétés de la multiplication des nombres positifs. En particulier l'ordre dans lequel on multiplie n'a pas d'importance.

e - *Produit de plusieurs nombres*

Règle : Règle des signes :

S'il y a un nombre pair de facteurs négatifs, alors le signe du produit est positif.

S'il y a un nombre impair de facteurs négatifs, alors le signe du produit est négatif.

• *Exemple :*

$A = (-5) \times (-7) \times (-0,5) \times 4$

Le produit a un signe négatif car il y a trois signes $(-)$ dans l'expression A.

$A = -(5 \times 7 \times 0,5 \times 4) = -70$

4. Quotients et nombres relatifs

a - Position du signe dans un quotient

On sait que diviser revient à multiplier par l'inverse (voir page 38). Par conséquent la règle des signes de la multiplication s'applique aussi à la division.

• *Exemples :*

$$\frac{-7}{4} = -7 : 4 = -7 \times \frac{1}{4} = -\left(7 \times \frac{1}{4}\right) = -\frac{7}{4}$$

Le quotient de -7 par 4 est négatif car il peut s'écrire sous la forme d'un produit de deux nombres de signes contraires.

$$\frac{7}{-4} = 7 : (-4) = 7 \times \frac{1}{(-4)} = -\left(7 \times \frac{1}{4}\right) = -\frac{7}{4}$$

On sait qu'un nombre et son inverse sont de même signe.

Donc le nombre $-\dfrac{1}{4}$ est un nombre négatif. Il en résulte

que le quotient de 7 par -4 est aussi un nombre négatif.

$$\frac{-7}{-4} = -7 : (-4) = -7 \times \left(\frac{1}{-4}\right) = 7 \times \frac{1}{4} = \frac{7}{4}$$

Le quotient de -7 par -4 est un donc un nombre positif.
En conclusion :

$$\frac{-7}{4} = \frac{7}{-4} = -\frac{7}{4}$$

Le signe $(-)$ peut se placer au numérateur, au dénominateur ou devant le trait de fraction.

$$\frac{-7}{-4} = \frac{7}{4}$$

Les deux signes $(-)$ s'éliminent.

a et *b* sont deux nombres relatifs positifs ou négatifs avec **b non nul.**

$$\boxed{\frac{a}{-b} = \frac{-a}{b} = -\frac{a}{b}}\qquad \boxed{\frac{-a}{-b} = \frac{a}{b}}$$

b - Exemples de calculs avec les quotients relatifs

Les règles de calcul pour les quotients relatifs sont les mêmes que pour les quotients de nombres positifs. Il suffit d'y ajouter la règle des signes.

• *Exemple 1 :*

$$A = \frac{-5}{6} - \frac{33}{18} = \frac{-5}{6} - \frac{11}{6} = \frac{-5-11}{6} = -\frac{16}{6} = -\frac{8}{3}$$

On simplifie la fraction $\frac{33}{18}$ que l'on remplace par la fraction $\frac{11}{6}$.

On soustrait les numérateurs.

• *Exemple 2 :*

$$B = \frac{-3}{4} \times \frac{7}{-9} \times \left(-\frac{4}{5}\right) = -\frac{3 \times 7 \times \cancel{4}}{\cancel{4} \times 9 \times 5} = -\frac{\cancel{3} \times 7}{\cancel{3} \times 3 \times 5} = -\frac{7}{15}$$

On applique d'abord la règle des signes. Il y a un nombre impair de signes $(-)$, le résultat sera donc négatif. On met le signe $(-)$ devant le trait de fraction. On multiplie les numérateurs et les dénominateurs entre eux sans plus tenir compte des signes. On simplifie par 4 puis par 3.

• *Exemple 3 :*

$$C = \frac{-27}{10} : \frac{-9}{8} = \frac{27}{10} \times \frac{8}{9} = \frac{27 \times 8}{10 \times 9} = \frac{3 \times \cancel{9} \times \cancel{2} \times 4}{5 \times \cancel{2} \times \cancel{9}} = \frac{12}{5}$$

On applique la règle des signes. Il y a un nombre pair de signes $(-)$, le résultat sera donc positif. On multiplie le dividende par l'inverse du diviseur. On décompose les différents facteurs de manière à faire apparaître le plus de facteurs identiques au numérateur et au dénominateur. On simplifie par 9 et par 2.

V

Les puissances

1. Les puissances de 10

a - Premières notions

Dans le cas des très grands et très petits nombres, la notation décimale peut s'avérer peu pratique.

- *Exemples :*

    Le diamètre de notre galaxie est d'environ
    1 000 000 000 000 000 000 km.
    Le diamètre d'un atome est d'environ 0,000 000 000 1 m.
    D'où l'idée d'introduire une nouvelle notation plus concise :
    la notation puissance.

- *Exemples :*

    $100 = 10 \times 10 = 10^2$, le nombre 2 indique le nombre de facteurs 10.
    $1\,000 = 10 \times 10 \times 10 = 10^3$

Définition

La notation 10^n désigne le produit de n facteurs 10 où n désigne un entier naturel supérieur ou égal à 2.

$$10^n = \underbrace{10 \times ... \times 10}_{n \text{ facteurs}} = \underbrace{10...0}_{n \text{ zéros}}$$

n s'appelle l'exposant.
10^n se lit « 10 exposant n » ou « 10 puissance n ».

Cas particuliers : $10^1 = 10$
$$10^0 = 1$$

Définition

n est un entier supérieur à 0.
$$10^{-n} = 0,\underbrace{0...01}$$
n chiffres après la virgule
10^{-n} se lit « 10 exposant $-n$ ».

Propriété

Pour tout entier n, on a $\dfrac{1}{10^n} = 10^{-n}$
10^{-n} est l'inverse de 10^n.

• *Exemple :*
$$10^{-4} = 0,0001 = \frac{1}{10\ 000} = \frac{1}{10^4}$$

b - Calculer avec les puissances de 10

• *Exemples :*

$*10^2 \times 10^6 = 100 \times 1\ 000\ 000 = 100\ 000\ 000 = 10^8$
$10^2 \times 10^6 = 10^{2+6} = 10^8$
$*10^{-3} \times 10^5 = 0,001 \times 100\ 000 = 100 = 10^2$
$10^{-3} \times 10^5 = 10^{-3+5} = 10^2$

Pour multiplier des puissances de 10, on additionne les exposants.

$*\dfrac{10^7}{10^3} = \dfrac{10\ 000\ \cancel{000}}{1\ \cancel{000}} = 10\ 000 = 10^4$

$\dfrac{10^7}{10^3} = 10^{7-3} = 10^4$

$*\dfrac{10^4}{10^9} = \dfrac{1\cancel{0}\ \cancel{000}}{1\ 000\ 000\ \cancel{000}} = \dfrac{1}{100\ 000} = \dfrac{1}{10^5} = 10^{-5}$

$\dfrac{10^4}{10^9} = 10^{4-9} = 10^{-9}$

Pour calculer le quotient de puissances de 10, on soustrait les exposants.

$*(10^2)^3 = 100 \times 100 \times 100 = 1\ 000\ 000 = 10^6$
$(10^2)^3 = 10^{2\times3} = 10^6$

$*(10^{-3})^2 = (0,001)^2 = 0,001 \times 0,001 = 0,000\ 001$
$(10^{-3})^2 = 10^{-3 \times 2} = 10^{-6}$

Pour calculer une puissance d'une puissance de 10, il suffit de multiplier les exposants.

Propriété

n et m sont deux entiers relatifs.

$10^n \times 10^m = 10^{n+m}$	On additionne les exposants.
$\dfrac{10^n}{10^m} = 10^{n-m}$	On soustrait les exposants.
$(10^n)^m = 10^{n \times m}$	On multiplie les exposants.

2. Écriture scientifique

a - Notation scientifique

Un nombre peut s'écrire d'une infinité de façons comme le produit d'un autre nombre et d'une puissance de 10.

- *Exemple :*

  $546,7 = 54,67 \times 10^1 = 5\ 467 \times 10^{-1} = 5,467 \times 10^2$
  $= 546,7 \times 10^0 = \ldots$

  Mais une seule de ces écritures possède un premier facteur ayant un seul chiffre non nul avant la virgule : $5,467 \times 10^2$. On dit que $5,467 \times 10^2$ est *l'écriture scientifique* du nombre 546,7.

Définition

L'écriture scientifique d'un nombre décimal strictement positif est de la forme $a \times 10^p$ où :
- *a* est l'écriture décimale réduite d'un nombre décimal compris entre 1 inclus et 10 exclu.
- *p* est un entier relatif.

L'écriture scientifique d'un nombre décimal strictement négatif s'obtient en mettant le signe (−) devant l'écriture scientifique de l'opposé du nombre.

0 n'a pas d'écriture scientifique.

• *Exemples :*

Écriture décimale	Écriture scientifique
2 002	$2{,}002 \times 10^3$
0,003	3×10^{-3}
8 000 000 000	8×10^9
− 60 000	$− 6 \times 10^4$
− 348	$− 3{,}48 \times 10^2$

Seuls les nombres décimaux ont une écriture scientifique.

b - Exemples de calculs

• *Exemple 1 :*

Soit $X = 3{,}5 \times 10^4$ et $Y = 4{,}2 \times 10^3$.

$X \times Y = 3{,}5 \times 10^4 \times 4{,}2 \times 10^3 = 3{,}5 \times 4{,}2 \times 10^4 \times 10^3$

$= 14{,}7 \times 10^7 = 1{,}47 \times 10^8$

On permute l'ordre des facteurs. On multiplie les nombres décimaux entre eux et les puissances de dix entre elles. On écrit le résultat en notation scientifique.

• *Exemple 2 :*

$$A = \frac{12 \times 10^{-14} \times 5 \times 10^5}{15 \times 10^3 \times 2 \times 10^2}$$

$$A = \frac{12 \times 5 \times 10^{-14} \times 10^5}{15 \times 2 \times 10^3 \times 10^2}$$

$$A = \frac{12 \times 5}{15 \times 2} \times \frac{10^{-14} \times 10^5}{10^3 \times 10^2}$$

$$A = \frac{60}{30} \times \frac{10^{-9}}{10^5}$$

$$A = 2 \times 10^{-14}$$

On permute l'ordre des facteurs au numérateur et au dénominateur. On calcule séparément les quotients des nombres décimaux et des puissances de 10.

3. Puissance d'un nombre

a - Puissance d'exposant positif

> ### Définition
>
> a est un nombre quelconque et n un entier supérieur à 2.
> Le nombre a^n est défini par $a^n = a \times a \times \dots a$, a écrit n fois.
>
> On lit « a exposant n ».
>
> **Cas particuliers :**
>
> $\boxed{a^1 = a}$
>
> Si $a \neq 0$, $\boxed{a^0 = 1}$
>
> 0^0 n'a pas de signification.
>
> a^2 se lit « a au carré » et a^3 se lit « a au cube ».

• *Exemples :*

$$(-2)^4 = (-2) \times (-2) \times (-2) \times (-2) = 16$$

$$\left(\frac{2}{3}\right)^5 = \frac{2}{3} \times \frac{2}{3} \times \frac{2}{3} \times \frac{2}{3} \times \frac{2}{3} = \frac{32}{243}$$

⚠ L'ordre intervient.

• *Exemple :*

3 puissance 4 est différent de 4 puissance 3

$$3^4 = 3 \times 3 \times 3 \times 3 = 81 \qquad 4^3 = 4 \times 4 \times 4 = 64$$

⚠ Ne pas confondre puissance et produit.

• *Exemple :*

3^2 est différent de 3×2.

b - Puissance d'exposant négatif

> ### Définition
>
> Soit a un nombre non nul et n est un entier strictement positif. Le nombre noté a^{-n} est le nombre défini par
>
> $$a^{-n} = \frac{1}{a^n}$$

• *Exemples :*

$$4^{-1} = \frac{1}{4} = 0,25$$

$$5^{-2} = \frac{1}{5^2} = \frac{1}{25} = 0,04$$

$$(-2)^{-3} = \frac{1}{(-2)^3} = \frac{1}{-8} = -0,125$$

c - Calculer avec des puissances

Dans ce paragraphe, a et b sont deux nombres non nuls et m et n sont deux entiers relatifs.

Multiplication de puissances
Pour multiplier des puissances d'un même nombre, on additionne les exposants.

$$\boxed{a^m \times a^n = a^{m+n}}$$

• *Exemples :*
$3^4 \times 3^2 = 3^{4+2} = 3^6$
$9^5 \times 9^{-3} = 9^{5+(-3)} = 9^2$
$(-4)^{-2} \times (-4)^5 = (-4)^{-2+5} = (-4)^3$

Quotients de puissances
Pour calculer le quotient de puissances d'un même nombre, on soustrait les exposants.

$$\boxed{\frac{a^m}{a^n} = a^{m-n}}$$

• *Exemples :*

$$\frac{7^5}{7^3} = 7^{5-3} = 7^2 \qquad \frac{2^{12}}{2^{15}} = 2^{12-15} = 2^{-3}$$

Puissance d'une puissance
Pour calculer la puissance d'une puissance, on multiplie les exposants.

$$\boxed{(a^m)^n = a^{m \times n}}$$

• *Exemples :*
$(5^2)^3 = 5^{2 \times 3} = 5^6 \qquad (8^3)^{-2} = 8^{3 \times (-2)} = 8^{-6}$

Puissance d'un produit
Pour calculer une puissance d'un produit, on applique la puissance à chacun des facteurs.

$$(a \times b)^n = a^n \times b^n$$

- *Exemples :*
  $(2 \times 3)^4 = 2^4 \times 3^4$ $(6 \times 0,5)^{-3} = 6^{-3} \times (0,5)^{-3}$

Puissance d'un quotient
Pour calculer une puissance d'un quotient, on applique la puissance au numérateur et au dénominateur.

$$\left(\frac{a}{b}\right)^n = \frac{a^n}{b^n} \ (b \neq 0)$$

- *Exemples :*

$$\left(\frac{1}{3}\right)^4 = \frac{1}{3^4} \qquad \left(\frac{2}{3}\right)^5 = \frac{2^5}{3^5}$$

⚠ Pour additionner ou soustraire des puissances, il faut revenir à l'écriture décimale.

- *Exemples :*
  $4^3 + 4^2 = 64 + 16 = 80$ et non pas $4^5 = 1\ 024$.
  $10^6 - 10^4 = 1\ 000\ 000 - 10\ 000 = 990\ 000$ et non pas 10^2.
  $7^2 + 8^2 = 49 + 64 = 113$ et non 15^2.

VI

Calculer avec des lettres

1. Le calcul littéral

a - Premières notions

Qu'est-ce qu'une expression littérale ?

> **Définition**
>
> **Une expression est dite littérale quand les nombres y sont représentés par des lettres.**

• *Exemple :*

$A = 2 \times x + 4 \times y - 2$ est une expression littérale.

Quel est l'intérêt du calcul littéral ?
Une lettre peut représenter n'importe quel nombre. On fait ainsi en un seul calcul l'équivalent d'une infinité de calculs numériques. Cela permet de généraliser des résultats, d'établir des formules ou d'énoncer des règles.

• *Exemples :*

Le périmètre d'un cercle est donné par la formule $P = 2 \times \pi \times r$ où le symbole π représente le nombre pi et la lettre r le rayon du cercle.
Le volume d'une sphère est donné par la formule :

$$V = \frac{4}{3} \times \pi \times r^3.$$

b - Simplifier l'écriture d'un calcul

* **Multiplication**
Dans certains cas, il est possible de supprimer le signe ($\times$).

	Expression de départ	Expression simplifiée
Entre deux lettres	$a \times b$	ab
Entre deux parenthèses	$a \times (b + c)$	$a(b + c)$
Entre une lettre et un nombre	$b \times 3$	$3b$ et non $b3$
Entre deux parenthèses	$(a + b) \times (c + d)$	$(a + b)(c + d)$

⚠ Dans le calcul numérique 5×4, on ne peut pas supprimer le signe $\times$ pour ne pas le confondre avec le nombre 54.

* **Addition et soustraction**

Dès que c'est possible, on essaye de réduire le nombre de termes.

Expression de départ	Expression réduite
$x + x + x$	$3x$
$5y - 2y$	$3y$
$5x + 3y + 7x + 4y$	$12x + 7y$
$3y - 18y$	$-15y$
$2x - 3x$	$-x$

⚠ Certaines écritures ne peuvent être réduites.

• *Exemple :*

$2x + 7y$ ne se simplifie pas car les lettres x et y ne représentent pas le même nombre. Il en est de même pour l'expression $x^2 + x$.

c - Suppression de parenthèses

Dans le calcul littéral, il est souvent indispensable de supprimer les parenthèses pour pouvoir continuer le calcul.

Propriété

Quand on supprime des parenthèses précédées du signe (+), on conserve le signe de chaque terme situé à l'intérieur des parenthèses.

• *Exemple :*

Simplifier l'expression A :

$A = 3 + 2x + 4y + (5 - 2x + 3y)$	Les termes situés à l'inté-
$A = 3 + 2x + 4y + 5 - 2x + 3y$	rieur des parenthèses res-
$A = 8 + 7y.$	tent inchangés.

Propriété

Quand on supprime des parenthèses précédées par un signe $(-)$, il faut changer le signe de chaque terme situé à l'intérieur des parenthèses.

• *Exemple :*

Simplifier l'expression B :

$B = 3x - 6 + 2y - (5 + 2x - 3y)$	Chaque terme situé à
$B = 3x - 6 + 2y - 5 - 2x + 3y$	l'intérieur des paren-
$B = x + 5y - 11.$	thèses a été remplacé
	par son opposé.

d - Les priorités opératoires

🎓 **Règle :** En l'absence de parenthèses, on doit effectuer dans l'ordre :
1- les puissances
2- les multiplications et les divisions
3- les additions et les soustractions

• *Exemple :*

On considère l'expression $A = 2x^2 - 5x - 14$.
Calculer A pour $x = -3$.

$A = 2 \times (-3)^2 - 5 \times (-3) - 14$	On effectue d'abord la
$A = 2 \times 9 - 5 \times (-3) - 14$	puissance, puis les mul-
$A = 18 - (-15) - 14$	tiplications et enfin les
$A = 18 + 15 - 14$	additions et les sous-
$A = 19.$	tractions.

🎓 **Règle :** Si l'expression comporte des parenthèses, on commence par effectuer les calculs entre parenthèses.

• *Exemple :*

On considère l'expression $B = 4(2x + 1)^2 - 8x + 10$.
Calculer B pour $x = 3$.

$B = 4(2 \times 3 + 1)^2 - 8 \times 3 + 10$
$B = 4(6 + 1)^2 - 8 \times 3 + 10$
$B = 4 \times 7^2 - 8 \times 3 + 10$
$B = 4 \times 49 - 8 \times 3 + 10$
$B = 196 - 24 + 10$
$B = 182.$

On commence par effectuer les calculs entre parenthèses en respectant les priorités.

2. Développer et factoriser

a - Développer une expression littérale

Définition

Développer un produit de facteurs comportant des parenthèses, c'est appliquer la distributivité au **moins une fois.**

Propriété

a, b et c sont trois nombres.

$$a \times (b + c) = a \times b + a \times c$$
$$a \times (b - c) = a \times b - a \times c$$

- *Exemples :*

$5(4 + x) = 5 \times 4 + 5 \times x = 20 + 5x$
$(3 + y^2) \times 4 = 3 \times 4 + y^2 \times 4 = 12 + 4y^2$
$y(y + 2x) = y \times y + y \times 2x = y^2 + 2yx$
$2(3y - 7) = 2 \times 3y - 2 \times 7 = 6y - 14$
$(2x - 3)x = 2x \times x - 3 \times x = 2x^2 - 3x$

Propriété

a, b, c et d sont quatre nombres.

$$(a + b) \times (c + d) = a \times c + a \times d + b \times c + b \times d$$
$$(a - b) \times (c + d) = a \times c + a \times d - b \times c - b \times d$$
$$(a + b) \times (c - d) = a \times c - a \times d + b \times c - b \times d$$
$$(a - b) \times (c - d) = a \times c - a \times d - b \times c + b \times d$$

• *Exemples :*

Développer et réduire les expressions suivantes :

$A = (x + 3)(x + 5)$
On développe chaque expression à l'aide des formules données ci-dessus.
$A = x \times x + x \times 5 + 3 \times x + 3 \times 5$
On simplifie chaque expression en supprimant les signes ($\times$) inutiles.
$A = x^2 + 5x + 3x + 15$
On réduit chaque expression en regroupant les termes de même nature.
$A = x^2 + 8x + 15$

$B = (2x - 7)(4 - x) + (x - 1)(5 - 4x)$
On développe les deux expressions simultanément.
$B = 2x \times 4 - 2x \times x - 7 \times 4 + 7 \times x + x \times 5 - x \times 4x$
$\quad - 1 \times 5 + 1 \times 4x$
$B = 8x - 2x^2 - 28 + 7x + 5x - 4x^2 - 5 + 4x$
On réduit chaque expression en regroupant les termes de même nature.
$B = -6x^2 + 24x - 33$

$C = (3x + 4)(x - 7) - (2x - 3)(x + 1)$
On met des crochets autour du produit précédé par le signe ($-$).
$C = 3x \times x - 3x \times 7 + 4 \times x - 4 \times 7$
$\quad - [2x \times x + 2x \times 1 - 3 \times x - 3 \times 1]$
On enlève les crochets et on change le signe de chaque terme situé à l'intérieur des crochets.
$C = 3x^2 - 21x + 4x - 28 - 2x^2 - 2x + 3x + 3$
$C = x^2 - 16x - 25$

b - *Factoriser une expression*

Définition

Factoriser une expression, c'est l'écrire sous la forme d'un produit de facteurs. C'est l'action inverse de développer.

Propriété

a, *b* et *c* sont trois nombres.

$$a \times b + a \times c = a \times (b + c)$$
$$a \times b - a \times c = a \times (b - c)$$

Ce sont ces formules que l'on utilise quand on réduit des expressions. On fait sans le savoir des factorisations.

• *Exemples :*

$3x + 4x = 3 \times x + 4 \times x = (3 + 4) \times x = 7 \times x = 7x$
$5y - 3y = 5 \times y - 3 \times y = (5 - 3) \times y = 2 \times y = 2y$
$x - 6x = 1x - 6x = (1 - 6) \times x = -5 \times x = -5x$

⚠ Il ne faut pas oublier que $x = 1x$!

Les exemples qui suivent illustrent l'utilisation de ces deux formules. La difficulté de la factorisation réside dans la mise en évidence du facteur commun.

• *Exemple 1 :*

Factoriser l'expression $A = 24 + 16x$.
Le facteur commun est le plus grand nombre qui divise à la fois 24 et 16 : c'est 8. On le fait apparaître dans l'expression.
$A = 8 \times 3 + 8 \times 2x$
$A = 8 \times (3 + 2x)$
$A = 8(3 + 2x)$

• *Exemple 2 :*

Factoriser l'expression $B = 2y^2x - 10xy$.
Le facteur commun est la plus grande expression qui divise à la fois $2y^2x$ et $10xy$: c'est $2xy$. On fait apparaître $2xy$ dans l'expression.
$B = 2xy \times y - 2xy \times 5$
$B = 2xy \times (y - 5)$
$B = 2xy (y - 5)$

• *Exemple 3 :*

Factoriser l'expression $C = x(x + 1) + (2x - 5)(x + 1)$.
Le facteur commun est $(x + 1)$. On le souligne une fois dans chaque terme.

$C = x(x + 1) + (2x - 5)(x + 1)$
On factorise $(x + 1)$ par ce qui n'a pas été souligné.
$C = (x + 1)[x + (2x - 5)]$
$C = (x + 1)(x + 2x - 5)$
$C = (x + 1)(3x - 5)$

• *Exemple 4 :*

Factoriser l'expression $D = (2x + 1)^2 - (2x + 1)(x - 3)$.
$D = (2x + 1) \times (2x + 1) - (2x + 1)(x - 3)$
$D = (2x + 1)[(2x + 1) - (x - 3)]$
$D = (2x + 1)(2x + 1 - x + 3)$
$D = (2x + 1)(x + 4)$

3. Les identités remarquables

On désigne sous le nom d'identités remarquables le développement de trois expressions :
    – Le carré de la somme de deux termes $(a + b)^2$
    – Le carré d'une différence de deux termes $(a - b)^2$
    – Le produit de la somme par la différence $(a + b)(a - b)$.

a - Carré d'une somme

$(a + b)^2 = (a + b)(a + b)$
$\qquad = a \times a + a \times b + b \times a + b \times b$
Or $a \times b = b \times a = ab$
$\qquad = a^2 + ab + ab + b^2$
$\qquad = a^2 + 2ab + b^2$

Propriété
a et b sont deux nombres
$(a + b)^2 = a^2 + 2ab + b^2$

Le terme $2ab$ s'appelle **le double produit**.

• *Exemples :*

$(x + 3)^2 = x^2 + 2 \times x \times 3 + 3^2 = x^2 + 6x + 9$
$(3x + 5)^2 = (3x)^2 + 2 \times 3x \times 5 + 5^2 = 9x^2 + 30x + 25$
$\left(\dfrac{x}{2} + \dfrac{1}{4}\right)^2 = \left(\dfrac{x}{2}\right)^2 + 2 \times \dfrac{x}{2} \times \dfrac{1}{4} + \left(\dfrac{1}{4}\right)^2 = \dfrac{x^2}{4} + \dfrac{x}{4} + \dfrac{1}{16}$

b - Carré d'une différence

$$(a - b)^2 = (a - b)(a - b)$$
$$= a \times a - a \times b - b \times a + b \times b$$
$$= a^2 - ab - ab + b^2$$
$$= a^2 - 2ab + b^2$$

Propriété
a et b sont deux nombres
$\boxed{(a - b)^2 = a^2 - 2ab + b^2}$

• *Exemples :*

$$(y - 5)^2 = y^2 - 2 \times y \times 5 + 5^2 = y^2 - 10y + 25$$
$$(3 - 2y)^2 = 3^2 - 2 \times 3 \times 2y + (2y)^2 = 9 - 12y + 4y^2$$

c - Produit de la somme par la différence

$$(a + b)(a - b) = a \times a - a \times b + b \times a - b \times b$$
$$= a^2 - ab + ab - b^2$$
$$= a^2 - b^2$$

Propriété
a et b sont deux nombres
$\boxed{(a - b)(a + b) = a^2 - b^2}$

• *Exemples :*

$$(2y + 3)(2y - 3) = (2y)^2 - 3^2 = 4y^2 - 9$$
$$\left(\frac{x}{2} + \frac{1}{3}\right)\left(\frac{x}{2} - \frac{1}{3}\right) = \left(\frac{x}{2}\right)^2 - \left(\frac{1}{3}\right)^2 = \frac{x^2}{4} - \frac{1}{9}$$

d - Factoriser des identités remarquables

La difficulté réside dans le fait que le facteur commun n'apparaît pas. Il s'agit donc de reconnaître le développement d'un des trois produits remarquables.

  * **Une expression de la forme $\nabla^2 + 2\nabla\square + \square^2$ se factorise en $(\nabla + \square)^2$.**

- *Exemple 1 :*

  $A = x^2 + 14x + 49$ On reconnaît la forme
  $A = x^2 + 2 \times 7 \times x + 7^2$ $\nabla^2 + 2\nabla\square + \square^2$
  $A = (x + 7)^2$ où $\nabla = x$ et $\square = 7$.

- *Exemple 2 :*

  $B = 16x^2 + 24x + 9$
  $B = (4x)^2 + 2 \times 4\,x \times 3 + 3^2$
  $B = (4x + 3)^2$

  * **Une expression de la forme $\nabla^2 - 2\nabla\square + \square^2$ se factorise en $(\nabla - \square)^2$.**

- *Exemple 1 :*

  $A = y^2 - 8y + 16$ On reconnaît la forme
  $A = y^2 - 2 \times 4 \times y + 4^2$ $\nabla^2 - 2\nabla\square + \square^2$
  $A = (y - 4)^2$ où $\nabla = y$ et $\square = 4$.

- *Exemple 2 :*

  $B = 9y^2 - 15y + \dfrac{25}{4}$

  $B = (3y)^2 - 2 \times 3y \times \dfrac{5}{2} + \left(\dfrac{5}{2}\right)^2$

  $B = (3y - \dfrac{5}{2})^2$

  * **Une expression de la forme $\nabla^2 - \square^2$ se factorise en $(\nabla - \square)(\nabla + \square)$.**

- *Exemple 1 :*

  $A = 9 - y^2$
  $A = 3^2 - y^2$
  $A = (3 - y)(3 + y)$

• *Exemple 2 :*

$$B = 25x^2 - \frac{1}{81}$$

$$B = (5x)^2 - \left(\frac{1}{9}\right)^2$$

$$B = (5x + \frac{1}{9})(5x - \frac{1}{9})$$

• *Exemple 3 :*

$C = (x + 3)^2 - 64$
$C = (x + 3)^2 - 8^2$
$C = [(x + 3) - 8][(x + 3) + 8]$
$C = (x + 3 - 8)(x + 3 + 8)$
$C = (x - 5)(x + 11)$

• *Exemple 4 :*

$D = (2y + 5)^2 - (3y - 7)^2$
$D = [(2y + 5) - (3y - 7)][(2y + 5) + (3y - 7)]$
$D = (2y + 5 - 3y + 7)(2y + 5 + 3y - 7)$
$D = (- y + 12)(5y - 2)$

⚠ Une expression peut ressembler à une identité remarquable sans en être une. Il convient d'être particulièrement vigilant sur le double produit.

• *Exemple :*

$16x^2 + 30x + 25$ ressemble au développement de $(4x + 5)^2$. Mais il n'en est rien car $(4x + 5)^2 = 16x^2 + 40x + 25$.

VII

Racines carrées

1. Racine carrée d'un nombre positif

a - Première approche

On découpe deux carrés d'aire 1 cm² suivant leur diagonale et, en les rassemblant, on obtient ainsi un carré d'aire 2 cm².
Quelle est la longueur du côté du carré ainsi obtenu ?
Les mathématiciens grecs de l'Antiquité se sont posé cette question il y a vingt-quatre siècles. Ils ont fini par admettre que cette longueur n'était ni un nombre décimal, ni une fraction.
Il a fallu inventer un nouveau nombre nommé racine de 2 et noté $\sqrt{2}$. On définit donc $\sqrt{2}$ comme le nombre positif tel que $(\sqrt{2})^2 = 2$.

Définition

a désigne un nombre positif. La racine carrée de a est le nombre positif dont le carré est égal à a.
On note ce nombre $\sqrt{a}$ et on lit « racine carrée de a ».

- **Exemples :**

$\sqrt{11}$ est le nombre qui élevé au carré donne 11. Mais contrairement à $\sqrt{11}$, certains nombres écrits avec le symbole $\sqrt{}$ peuvent s'écrire plus simplement :

$\sqrt{16} = 4$ car $4^2 = 16$. $\sqrt{16}$ est un entier.

$\sqrt{2,25} = 1,5$ car $1,5^2 = 2,25$. $\sqrt{2,25}$ est un nombre décimal.

$\sqrt{\dfrac{9}{4}} = \dfrac{3}{2}$ car $\left(\dfrac{3}{2}\right)^2 = \dfrac{9}{4}$. $\sqrt{\dfrac{9}{4}}$ est une fraction.

$\sqrt{0} = 0$.

⚠ La racine carrée d'un nombre négatif n'existe pas.

• *Exemple :*

$\sqrt{-3}$ n'existe pas.

Propriété

Pour tout nombre positif *a*, on a

$$\boxed{\left(\sqrt{a}\right)^2 = a}$$

• *Exemple :*
$\left(\sqrt{5}\right)^2 = 5$

b - Calculatrice et racine carrée

La touche $\boxed{\sqrt{x}}$ ne fournit pas en général la valeur exacte d'une racine carrée.

• *Exemples :*

$\boxed{\sqrt{x}}$ 576 donne 24.

$\boxed{\sqrt{x}}$ 575 donne 23,979158 qui est une valeur approchée.

c - Carrés parfaits

Définition

On appelle carré parfait un entier positif dont la racine carrée est un entier.

• *Exemples :*

576 est un carré parfait car $\sqrt{576} = 24$.

196 est un carré parfait car $\sqrt{196} = 14$.

2. Calculer avec des racines carrées

a - Produit de deux racines carrées

> ### Propriété
>
> a et b sont deux nombres positifs.
>
> $$\boxed{\sqrt{a \times b} = \sqrt{a} \times \sqrt{b}}$$
>
> La racine carrée d'un produit de nombres positifs est égale au produit des racines carrées.

• *Exemple :*

$$\sqrt{50} \times \sqrt{2} = \sqrt{2 \times 50} = \sqrt{100} = 10 \quad \text{car } 10^2 = 100$$

> ### Propriété
>
> a est un nombre positif.
>
> $$\boxed{\sqrt{a^2} = a}$$

• *Exemple :*

$$\sqrt{10^6} = \sqrt{(10^3)^2} = 10^3$$

b - Racine carrée d'un quotient

> ### Propriété
>
> a et b sont deux nombres positifs, $b \neq 0$.
>
> $$\boxed{\sqrt{\frac{a}{b}} = \frac{\sqrt{a}}{\sqrt{b}}}$$
>
> La racine carrée d'un quotient de nombres positifs est égale au quotient des racines carrées.

• *Exemple :*

$$\frac{\sqrt{200}}{\sqrt{50}} = \sqrt{\frac{200}{50}} = \sqrt{4} = 2$$

⚠ Une erreur fréquente consiste à écrire que la racine carrée de la somme est égale à la somme des racines carrées. C'est faux en général.

• *Exemple :*

$\sqrt{16 + 9} = \sqrt{25} = 5$ alors que $\sqrt{16} + \sqrt{9} = 4 + 3 = 7$.

$\sqrt{16 + 9} \neq \sqrt{16} + \sqrt{9}$.

$$\boxed{\text{Si } ab \neq 0, \text{ alors } \sqrt{a + b} \neq \sqrt{a} + \sqrt{b}}$$

Il en est de même pour la racine carrée de la différence qui en général n'est pas égale à la différence des racines carrées.

• *Exemple :*

$\sqrt{100 - 64} = \sqrt{36} = 6$ alors que $\sqrt{100} - \sqrt{64} = 10 - 8 = 2$.

$\sqrt{100 - 64} \neq \sqrt{100} - \sqrt{64}$.

$$\boxed{\text{Si } ab \neq 0 \text{ et } a > b, \text{ alors } \sqrt{a - b} \neq \sqrt{a} - \sqrt{b}}$$

c - *Simplifier des expressions contenant des racines carrées*

• *Exemple 1 :*

$A = 3 \times \sqrt{2} \times 5 \times \sqrt{8} = 3 \times 5 \times \sqrt{2} \times \sqrt{8}$

$= 15 \times \sqrt{2 \times 8} = 15 \times \sqrt{16} = 15 \times 4 = 60$

On permute l'ordre des facteurs, on transforme le produit des racines carrées en la racine du produit.

• *Exemple 2 :*

$B = \sqrt{\dfrac{5}{27}} \times \sqrt{3} = \sqrt{\dfrac{5 \times 3}{27}} = \sqrt{\dfrac{5 \times 3}{9 \times 3}} = \sqrt{\dfrac{5}{9}} = \dfrac{\sqrt{5}}{\sqrt{9}} = \dfrac{\sqrt{5}}{3}$

On transforme le produit des racines carrées en la racine carrée du produit. On simplifie le quotient par 3. On transforme la racine du quotient en le quotient des racines.

• *Exemple 3 :*

$C = 7\sqrt{3} - 3\sqrt{48} + 5\sqrt{12}$

On cherche sous chaque radical $\sqrt{}$ le plus grand carré parfait s'il existe.

$C = 7\sqrt{3} - 3\sqrt{16 \times 3} + 5\sqrt{4 \times 3}$

On simplifie les racines des produits en le produit des racines.

$C = 7 \times \sqrt{3} - 3 \times \sqrt{16} \times \sqrt{3} + 5 \times \sqrt{4} \times \sqrt{3}$

On remplace les racines carrées des carrés parfaits par leur valeur entière.

$$C = 7 \times \sqrt{3} - 3 \times 4 \times \sqrt{3} + 5 \times 2 \times \sqrt{3}$$
$$= 7 \times \sqrt{3} - 12 \times \sqrt{3} + 10 \times \sqrt{3}$$
$$= (7 - 12 + 10) \times \sqrt{3}$$
$$= 5 \times \sqrt{3}.$$

d - Identités remarquables et racines carrées

• *Exemple 1 :*

$$A = (\sqrt{5} + \sqrt{2})^2$$
$$= \sqrt{5}^2 + 2 \times \sqrt{5} \times \sqrt{2} + \sqrt{2}^2$$
$$= 5 + 2\sqrt{10} + 2$$
$$= 7 + 2\sqrt{10}.$$

• *Exemple 2 :*

$$B = (3\sqrt{7} - 5\sqrt{3})^2$$
$$= (3\sqrt{7})^2 - 2 \times 3\sqrt{7} \times 5\sqrt{3} + (5\sqrt{3})^2$$
$$= 9 \times 7 - 30\sqrt{21} + 25 \times 3$$
$$= 63 - 30\sqrt{21} + 75$$
$$= 138 - 30\sqrt{21}.$$

• *Exemple 3 :*

$$C = (\sqrt{13} - \sqrt{5})(\sqrt{13} + \sqrt{5})$$
$$= \sqrt{13}^2 - \sqrt{5}^2$$
$$= 13 - 5$$
$$= 8.$$

3. Comparaison de racines carrées

Approche géométrique.

On considère les deux carrés ci-contre. Le premier a pour côté $\sqrt{a}$, le second $\sqrt{b}$. Le premier carré a pour aire $(\sqrt{a})^2 = a$. L'aire du second est $(\sqrt{b})^2 = b$. Le carré qui a la plus grande aire est celui qui a le plus grand côté. D'où la propriété suivante :

> **Propriété**
>
> a et b sont deux nombres positifs.
> Les nombres $\sqrt{a}$ et $\sqrt{b}$ sont rangés dans le même ordre que les nombres a et b.
> $$\text{Si } a < b, \text{ alors } \sqrt{a} < \sqrt{b}$$
> $$\text{Si } a > b, \text{ alors } \sqrt{a} > \sqrt{b}$$

- *Exemple 1 :*
  Comparer $\sqrt{45}$ et $\sqrt{54}$.
  $\sqrt{45} < \sqrt{54}$ car $45 < 54$.

- *Exemple 2 :*
  Comparer 7 et $\sqrt{48}$.

  7 et $\sqrt{48}$ sont rangés dans le même ordre que leurs carrés.
  $7^2 = 49 \qquad (\sqrt{48})^2 = 48$
  $49 > 48$, donc $7 > \sqrt{48}$.

- *Exemple 3 :*
  Comparer $3\sqrt{2}$ et $\sqrt{21}$.
  On compare les carrés des deux nombres.

  $(3\sqrt{2})^2 = 3^2 \times (\sqrt{2})^2 = 9 \times 2 = 18$

  $(\sqrt{21})^2 = 21$

  $18 < 21$, donc $3\sqrt{2} < \sqrt{21}$.

VIII

Équations et inéquations

1. Équation du premier degré à une inconnue

a - Notion d'équation

Qu'est-ce qu'une équation ?

> ### Définition
> Une équation est une égalité dans laquelle un nombre inconnu est remplacé par une lettre.

• *Exemples :*

$x + 5 = 14$, équation du premier degré à une inconnue x.

$x + 2 = y - 4$, équation du premier degré à deux inconnues x et y.

$z^2 + 3 = 2z + 1$, équation du second degré à une inconnue z.
La dernière équation est dite du second degré car elle contient z^2.

L'inconnue dans une équation peut être représentée par n'importe quelle lettre.

• *Exemple :*

$x - 3 = 7$ est la même équation que $y - 3 = 7$.
Les termes qui sont de part et d'autre du signe « = » sont les **membres de l'équation.**

• *Exemple :*

Les membres de l'équation $3z + 1 = 4 - z$ sont $3z + 1$ et $4 - z$.

Résoudre une équation à une inconnue, c'est chercher la ou les valeurs de la lettre qui rendent l'égalité vraie.
Ces valeurs, si elles existent, sont les solutions de l'équation.

• *Exemple :*

Soit l'équation $3x = 24$. Si on remplace la lettre x par 5 dans l'écriture $3x = 24$, on obtient $3 \times 5 = 24$ qui est une égalité fausse. 5 n'est pas solution de l'équation. Par contre, si on remplace x par 8 dans $3x = 24$, on obtient $3 \times 8 = 24$ qui est une égalité vraie. 8 est solution de l'équation.

b - Propriété des équations

Dans la résolution d'une équation, on a souvent recours aux propriétés suivantes :

> ## Propriété
> **Si on ajoute ou si on retranche le même nombre à chaque membre d'une équation, on obtient une équation équivalente.**

Autrement dit, les solutions restent inchangées.

• *Exemple 1 :*

Soit l'équation $x - 3 = 12$.
$x - 3 = 12$ On ajoute 3 à chaque membre de l'équation.

$$x \underbrace{- 3 + 3}_{0} = (12 + 3)$$

$x = 15$ On obtient une équation plus simple.
Tout se passe comme si l'on faisait « passer » le terme $- 3$ d'un membre dans l'autre en changeant son signe. On dit que l'on a transposé $- 3$.

• *Exemple 2 :*

Soit l'équation $x + 4 = - 6$.
$x + 4 = - 6$ On transpose 4.
$x = - 6 - 4$
$x = - 10$

> ## Propriété
> **Si on multiplie ou si on divise par le même nombre non nul chaque membre d'une équation, on obtient une équation équivalente.**

• *Exemple :*

Soit l'équation $4x = 20$.
$4x = 20$ On divise par 4 chaque membre de l'équation.
$$\frac{4x}{4} = \frac{20}{4}$$
$x = 5$

c - *Équations fondamentales*

Toutes les équations du premier degré peuvent se ramener à quelques équations simples.
a et b sont deux nombres donnés positifs ou négatifs et x est l'inconnue.

  * Équation du type $x + a = b$
Résolution : $x + a = b$ On retranche a aux deux membres de l'équation.
$x + a - a = b - a$
$x = b - a$
L'équation $x + a = b$ **a pour solution** $x = b - a$.

• *Exemples :*

$x + 11 = 27$ a pour solution $x = 27 - 11 = 16$.
$x - 5 = 13$ a pour solution $x = 13 - (- 5) = 13 + 5 = 18$.
$x + 10 = 3$ a pour solution $x = 3 - 10 = - 7$.

  * Équation du type $ax = b$ $(a \neq 0)$
Résolution : $ax = b$ On divise les deux membres de l'équation par a.
$$\frac{ax}{a} = \frac{b}{a}$$ On simplifie le membre de gauche par a.

$$x = \frac{b}{a}.$$
L'équation $ax = b$ **a pour solution** $x = \dfrac{b}{a}$.

• *Exemples :*

$4x = 18$ a pour solution $x = \dfrac{18}{4} = 4,5$.

$8x = 5$ a pour solution $x = \dfrac{5}{8} = 0{,}625$.

$3x = 7$ a pour solution $x = \dfrac{7}{3}$.

On ne peut pas donner de valeur décimale de la solution, on laisse le résultat sous forme fractionnaire.

* Équation du type $\dfrac{x}{a} = b$ $(a \neq 0)$

Résolution : $\dfrac{x}{a} = b$

On multiplie les deux membres de l'équation par a.

$a \times \dfrac{x}{a} = b \times a$

On simplifie le membre de gauche par a. $x = ba$

L'équation $\dfrac{x}{a} = b$ a pour solution $x = ba$.

• *Exemple :*

$\dfrac{x}{7} = 3{,}5$ a pour solution $x = 7 \times 3{,}5 = 24{,}5$

Cas particuliers :

$0x = 6$ est une **équation impossible** car elle n'admet aucune solution. En effet, quelle que soit la valeur de x, $0x$ ne peut être égal à 6.

$0x = 0$ est une **équation indéterminée** car toute valeur donnée à x convient.

d - Résolution d'équations du premier degré

• *Exemple 1 :*

Soit à résoudre l'équation $5(x - 6) = 3(x + 3)$

$5(x - 6) = 3(x + 3)$	On développe les deux membres de l'équation.
$5x - 30 = 3x\ 1\ 9$	On ajoute 30 aux deux membres pour isoler « $5x$ ».
$5x = 3x + 9 + 30$	On retranche « $3x$ » aux deux membres pour isoler les unités.

$5x - 3x = 39$ On réduit le membre de gauche.

$2x = 39$ On est ramené à la résolution d'une équation du type $ax = b$.

$x = \dfrac{39}{2} = 19,5$ L'équation a pour solution 19,5.

• *Exemple 2 :*

Soit à résoudre l'équation $\dfrac{x-3}{4} + \dfrac{x+5}{3} = 5$

$\dfrac{3(x-3)}{12} + \dfrac{4(x+5)}{12} = \dfrac{5 \times 12}{12}$ On réduit tous les termes de l'équation au même dénominateur.

$3(x-3) + 4(x+5) = 60$ On multiplie les membres de l'équation par 12.

$3x - 9 + 4x + 20 = 60$ On développe les produits.

$3x + 4x = 60 + 9 - 20$ On transpose -9 et 20.

$7x = 49$ On réduit les deux membres.

$x = \dfrac{49}{7} = 7$ L'équation a pour solution 7.

• *Exemple 3 :*

Soit à résoudre l'équation $-x + 5 + 4x = 6x + 7 - 3x$

$-x + 5 + 4x = 6x + 7 - 3x$ On réduit les deux membres.

$5 + 3x = 3x + 7$ On transpose $3x$ à gauche et 5 à droite.

$3x - 3x = 7 - 5$ On réduit à nouveau les deux membres.

$0x = 2$

C'est une équation impossible. Il n'y a pas de solution.

• *Exemple 4 :*

Soit à résoudre l'équation $4x - 2 + 6x = 15x - 3 - 5x + 1$

$4x - 2 + 6x = 15x - 3 - 5x + 1$ On réduit les deux membres.

$10x - 2 = 10x - 2$ On transpose $10x$ à gauche et -2 à droite.

$10x - 10x = -2 + 2$

$0x = 0$

C'est une équation indéterminée. Tout nombre est solution.

2. Équations se ramenant à des équations du premier degré

a - *Équation produit*

> ### Définition
> Une équation produit est une équation dont l'un des membres est un produit de facteurs.

• *Exemple :*

L'équation $(x - 4)(x + 5)(2x + 6) = 0$ est une équation produit.

On utilise la propriété suivante pour résoudre cette équation :

> ### Propriété
> Un produit est nul si et seulement si l'un au moins des facteurs de ce produit est nul.
>
> $A \times B = 0$ si et seulement si $A = 0$ ou $B = 0$

Par suite $(x - 4)(x + 5)(2x + 6) = 0$ si et seulement si

$(x - 4) = 0$ ou $(x + 5) = 0$ ou $(2x + 6) = 0$

On résout séparément trois équations du premier degré.

$x - 4 = 0$	$x + 5 = 0$	$2x + 6 = 0$
$x = 4$	$x = -5$	$2x = -6$
		$x = -\dfrac{6}{2} = -3$

Les solutions de l'équation sont -5, -3 et 4.

Il est souvent utile de factoriser pour résoudre des équations.

• *Exemple :*

Soit à résoudre l'équation $x^2 + 2x + 1 = (x + 1)(3x - 4)$

On factorise le membre de gauche qui est une identité remarquable.

$(x + 1)^2 = (x + 1)(3x - 4)$

On transpose tout dans un seul membre.

$(x + 1)^2 - (x + 1)(3x - 4) = 0$

On factorise en mettant $(x + 1)$ en facteur.

$(x + 1)[(x + 1) - (3x - 4)] = 0$

On supprime les parenthèses.

$(x + 1)[x + 1 - 3x + 4] = 0$

On réduit l'expression entre crochets.

$(x + 1)(- 2x + 5) = 0$

On obtient une équation produit.

Un produit de facteurs est nul si et seulement si l'un ou l'autre des facteurs est nul.

Par suite $(x + 1)(- 2x + 5) = 0$ si et seulement si :

$x + 1 = 0$ ou $- 2x + 5 = 0$

$x = - 1 \qquad - 2x = - 5$

$$x = \frac{-5}{-2} = \frac{5}{2}$$

Les deux solutions de l'équation sont $- 1$ et $\dfrac{5}{2}$.

b - Équation du type $x^2 = a$

x est l'inconnue et a un nombre donné. On distingue trois cas :

Si $a < 0$, alors l'équation n'admet aucune solution.

• *Exemple :*

L'équation $x^2 = - 3$ n'a pas de solution car x^2 est toujours positif et ne peut être égal à un nombre négatif.

Si $a = 0$, alors l'équation admet une seule solution, $x = 0$.

• *Exemple :*

L'équation $x^2 = 0$ admet une seule solution, 0.

Si $a > 0$, alors l'équation admet deux solutions, $\sqrt{a}$ et $- \sqrt{a}$.

En effet si $a > 0$, $\sqrt{a}$ existe. L'équation s'écrit alors $x^2 = (\sqrt{a})^2$.

$$x^2 - (\sqrt{a})^2 = 0 \qquad \text{On factorise l'identité remarquable.}$$

$$(x - \sqrt{a})(x + \sqrt{a}) = 0 \qquad \text{On reconnaît une équation produit.}$$

Cette équation admet deux solutions, $\sqrt{a}$ et $-\sqrt{a}$.

• *Exemples :*

L'équation $x^2 = 9$ admet deux solutions, 3 et -3.
L'équation $x^2 = 7$ admet deux solutions, $\sqrt{7}$ et $-\sqrt{7}$.

3. Mettre un problème en équations

On procède en plusieurs étapes.

1re étape   Lire l'énoncé attentivement.
2e étape   Après avoir compris ce que l'on cherche, faire le choix d'une lettre pour désigner l'inconnue.
3e étape   Mettre en équation le problème posé.
4e étape   Résoudre l'équation.
5e étape   Discussion : vérifier que le ou les nombres trouvés répondent au problème posé.
6e étape   Conclusion.

• *Exemple 1 :*

Trouver trois entiers consécutifs dont la somme est 366.
Choix de l'inconnue : Soit n le plus petit des entiers. Les 3 entiers consécutifs sont n, $n + 1$ et $n + 2$.

Mise en équation : $n + (n + 1) + (n + 2) = 366$

Résolution de l'équation :
$$n + n + 1 + n + 2 = 366$$
$$3n + 3 = 366$$
$$3n = 363$$
$$n = \frac{363}{3} = 121$$

Vérification : $121 + 122 + 123 = 366$.

Conclusion : Les trois entiers consécutifs sont 121, 122 et 123.

• *Exemple 2 :*

Aujourd'hui Max est deux fois plus âgé qu'Antoine, mais il y a dix ans Max était trois plus âgé qu'Antoine. Quel est l'âge de chacun ?

Choix de l'inconnue : Soit x l'âge d'Antoine aujourd'hui.
L'âge de Max aujourd'hui est $2x$.
Il y a 10 ans, l'âge d'Antoine était $x - 10$, celui de Max était de $2x - 10$.

Mise en équation : $3(x - 10) = 2x - 10$

Résolution de l'équation :
$$3(x - 10) = 2x - 10$$
$$3x - 30 = 2x - 10$$
$$3x - 2x = -10 + 30$$
$$x = 20$$

Vérification : Si Antoine a aujourd'hui 20 ans, Max en a 40, donc le double. Il y a 10 ans, Antoine avait 10 ans et Max 30, soit le triple.

Conclusion : Max a quarante ans et Antoine vingt.

• *Exemple 3 :*

Trouver un rectangle dont la longueur soit le triple de la largeur et tel que son aire soit égale à 108 cm².
Choix de l'inconnue : Soit L la largeur.
Soit $3L$ la longueur.

Mise en équation : $3L \times L = 108$

Résolution de l'équation : $3L^2 = 108$
$$L^2 = \frac{108}{3} = 36$$
$$L = 6 \text{ ou } L = -6$$

Vérification : Seule la solution $L = 6$ convient car une longueur est un nombre positif.

Conclusion : Le rectangle a pour longueur 18 cm et pour largeur 6 cm.

4. Système d'équations

a - *Équation à deux inconnues*

Définition

Une équation à deux inconnues x et y est une égalité contenant les lettres x et y.

• *Exemple :*

L'égalité $2x + 5y = 16$ est une équation du premier degré à deux inconnues.

Si on remplace x par 3 et y par 2, on obtient l'égalité $2 \times 3 + 5 \times 2 = 16$ qui est une égalité vraie. On dit que le couple (3 ; 2) est solution de l'équation.

Par contre le couple (2 ; 3) n'est pas solution de cette équation. En effet $2 \times 2 + 5 \times 3 = 16$ est une égalité fausse.

L'équation $2x + 5y = 16$ a une infinité de couples solutions. En voici d'autres : (8 ; 0) et (− 2 ; 4).

b - Système

Définition

Un groupement de deux équations du premier degré à deux inconnues s'appelle un système d'équations à deux inconnues.

• *Exemple :*

$$\begin{cases} 2x - 5y = 12 \\ 3x + 4y = -5 \end{cases}$$

est un système de deux équations à deux inconnues.

Le couple (1 ; − 2) est solution du système car il vérifie chacune des deux équations :

$2 \times 1 - 5 \times (-2) = 2 + 10 = 12$
et $3 \times 1 + 4 \times (-2) = 3 - 8 = -5$.

En revanche, le couple (6 ; 0) vérifie la première équation mais pas la seconde. Ce couple n'est pas solution du système.

Résoudre un système de deux équations à deux inconnues, c'est trouver tous les couples $(x ; y)$ qui vérifient simultanément les deux équations.

Un système de deux équations du premier degré à deux inconnues admet en général une solution unique.

c - Résolution d'un système par substitution

🎓 **Règle :** Dans la méthode de substitution, on calcule l'une des inconnues dans l'une des équations puis, dans l'autre équation, on substitue à cette inconnue la valeur ainsi trouvée.

* *Exemple :*

Résoudre le système suivant :

$$\begin{cases} -3x + 4y = 23 \\ 2x + y = 3 \end{cases}$$

On transpose $2x$.

$$\begin{cases} -3x + 4y = 23 \\ y = 3 - 2x \end{cases}$$

On remplace y par $3 - 2x$ dans la 1re équation.

$$\begin{cases} -3x + 4(3 - 2x) = 23 \\ y = 3 - 2x \end{cases}$$

On développe le produit.

$$\begin{cases} -3x + 12 - 8x = 23 \\ y = 3 - 2x \end{cases}$$

On transpose 12.

$$\begin{cases} -3x - 8x = 23 - 12 \\ y = 3 - 2x \end{cases}$$

On réduit les deux membres.

$$\begin{cases} -11x = 11 \\ y = 3 - 2x \end{cases}$$

On résout la 1re équation.

$$x = \frac{11}{-11} = -1 \, .$$

On remplace x par (-1) dans la seconde équation.

$$\begin{cases} x = -1 \\ y = 3 - 2 \times (-1) \end{cases}$$

$$\begin{cases} x = -1 \\ y = 5 \end{cases}$$

Le système a pour solution unique le couple $(-1 \; ; \; 5)$.

d - Résolution d'un système par addition (ou par combinaison)

🎓 **Règle :** Dans la méthode d'addition, on multiplie les deux membres de chaque équation par des nombres choisis de telle sorte que les coefficients d'une des inconnues deviennent opposés. De cette façon, en les additionnant, on élimine une des inconnues.

• *Exemple :*
Résoudre le système suivant : $\begin{cases} -3x + 4y = 23 \\ 2x + y = 3 \end{cases}$

Première phase : on détermine y.

$$\begin{cases} -3x + 4y = 23 \\ 2x + y = 3 \end{cases}$$

On multiplie les deux membres de la première équation par 2 et les deux membres de la seconde par 3.

$$\begin{cases} 2 \times (-3x + 4y) = 2 \times 23 \\ 3 \times (2x + y) = 3 \times 3 \end{cases}$$

On développe les parenthèses.

$$(+) \begin{cases} -6x + 8y = 46 \\ 6x + 3y = 9 \end{cases}$$

Les coefficients de x sont opposés.

$$\overline{-6x \; 1 \; 6x \; 1 \; 8y \; 1 \; 3y \; 5 \; 46 - 9}$$

On additionne les deux équations membre à membre de manière à éliminer x.

On obtient l'équation $11y = 55$. Donc $y = \dfrac{55}{11} = 5$.

Deuxième phase : on détermine x.

$$\begin{cases} -3x + 4y = 23 \\ 2x + y = 3 \end{cases}$$

On multiplie les deux membres de la première équation par -1 et les deux membres de la seconde par 4.

$$\begin{cases} -1 \times (-3x + 4y) = -1 \times 23 \\ 4 \times (2x + y) = 4 \times 3 \end{cases}$$

$$\begin{cases} 3x - 4y = -23 \\ 8x + 4y = 12 \end{cases}$$

En additionnant membre à membre les deux équations, on obtient l'équation $11x = -11$.

Donc $x = -\dfrac{11}{11} = -1$.

Le système a pour solution unique le couple $(-1 ; 5)$.

e - Cas particuliers

• *Exemple 1 :*

$$\begin{cases} 2x - 5y = 8 \\ 10x - 25y = 40 \end{cases}$$

On multiplie la première équation par 5, on obtient le système équivalent :

$$\begin{cases} 10x - 25y = 40 \\ 10x - 25y = 40 \end{cases}$$

Les deux équations sont semblables, le système admet une infinité de solutions. On dit que **le système est indéterminé.**

• *Exemple 2 :*

$$\begin{cases} 3x + 4y = 3 \\ 6x + 8y = 40 \end{cases}$$

On multiplie la première équation par 2, on obtient le système équivalent :

$$\begin{cases} 6x + 8y = 6 \\ 6x + 8y = 10 \end{cases}$$

On aboutit à l'égalité fausse $6 = 6x + 8y = 10$. Ce système n'admet aucune solution. On dit que **le système est impossible.**

f - *Traduire un problème par un système d'équation*

On suit la même démarche que pour la mise en équations d'un problème.

• *Exemple :*

Pour trois croissants et cinq pains au raisin, j'ai donné au boulanger 8,2 €. Pour quatre croissants et deux pains au raisin, je dois payer 5,8 €.
Quel est le prix d'un croissant ? Quel est le prix d'un pain au raisin ?

Choix des inconnues : Soit x le prix d'un croissant et y le prix d'un pain au raisin.

Mise en équations du problème :

$$\begin{cases} 3x + 5y = 8,2 \\ 4x + 2y = 5,8 \end{cases}$$

Première phase : on détermine y.
On multiplie par 4 la 1re équation et par -3 la seconde.
On additionne les deux équations membre à membre :

$$\oplus \begin{cases} 12x + 20y = 32,8 \\ -12x - 6y = -17,4 \end{cases}$$

$$-12x + 12x + 20y - 6y = 32,8 - 17,4$$

On obtient $14y = 15,4$. Donc $y = \dfrac{15,4}{14} = 1,1$.

$$\begin{cases} 6x + 10y = 16,4 \\ -20x - 10y = -29 \end{cases}$$

On a multiplié par 2 la 1re équation et par -5 la seconde.
On additionne les deux équations membre à membre.
$6x - 20x + 10y - 10y = 16,4 - 29$.

On obtient $-14x = -12,6$. Donc $x = \dfrac{-12,6}{-14} = 0,9$.

Le système a pour solution unique le couple (0,9 ; 1,1).

Conclusion : Un croissant coûte 0,9 € et un pain au raisin 1,1 €.

5. Inéquations à une inconnue

a - Inéquation

Qu'est-ce qu'une inéquation ?

> **Définition**
>
> Une inéquation à une inconnue x est une expression contenant la lettre x et l'un des symboles $<$, $>$, $\leqslant$ et $\geqslant$.

- *Exemple :*

L'inégalité $2x + 3 \leqslant 3x - 7$ est une inéquation d'inconnue x.

Contrairement à l'équation $2x + 3 = 3x - 7$ qui admet pour unique solution 10, l'inéquation $2x + 3 \leqslant 3x - 7$ admet une infinité de solutions. Ce sont tous les nombres supérieurs ou égaux à 10 car ils rendent l'inégalité vraie.

Résoudre une inéquation, c'est trouver tous les nombres qui rendent l'inégalité vraie.

b - Propriété des inéquations

Pour résoudre les inéquations, on utilise les propriétés suivantes :

> **Propriété**
>
> **Si on ajoute ou si on retranche le même nombre à chaque membre d'une inéquation, on obtient une inéquation équivalente.**

- *Exemple :*

Soit l'inéquation $2x + 2 < x + 5$.
On retranche 2 à chaque membre de l'inéquation.
$$2x + \underbrace{2 - 2}_{0} , x + 5 - 2$$
On retranche x à chaque membre de l'inéquation.
$$2x - x , \underbrace{x - x}_{0} + 3$$

On obtient une inéquation plus simple.

$x < 3$

On dit que l'on a transposé 2 et x.

Propriété

Si on multiplie ou si on divise par le même nombre strictement positif chaque membre d'une inéquation, on obtient une inéquation équivalente.

• *Exemple :*

Soit l'inéquation $\dfrac{x}{5} > 3$.

$\dfrac{x}{5} > 3$ On multiplie par 5 chaque membre de l'inéquation.

$5 \times \dfrac{x}{5} > 5 \times 3$

$x > 15$

Propriété

Si on multiplie ou si on divise par le même nombre strictement négatif chaque membre d'une inéquation comportant le symbole $<$, on obtient une inéquation équivalente en remplaçant le symbole $<$ par $>$.

On peut remplacer les symboles $<$ et $>$, respectivement par $>$ et $<$, ou $\leq$ et $\geq$, ou bien $\geq$ et $\leq$.

• *Exemple :*

Soit l'inéquation $-3x \leq 12$.

$-3x \leq 12$ On divise chaque membre de l'inéquation par -3.

$\dfrac{-3x}{-3} \geq \dfrac{12}{-3}$ L'inégalité change de signe.

$x \geq -4$

c - Résolution d'inéquations du premier degré

• *Exemple 1 :*

Soit à résoudre l'inéquation $6x + 3 < 4x + 7$.

$$6x + 3 < 4x + 7 \quad \text{On transpose } 4x \text{ et } 3.$$
$$6x - 4x < 7 - 3 \quad \text{On réduit les deux membres.}$$
$$2x < 4 \quad \text{On divise les deux membres par } 2.$$
$$x < 2$$

Les nombres solutions sont les nombres strictement inférieurs à 2.

Représentation graphique des solutions :

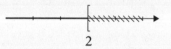

Le crochet tourné vers l'extérieur indique que 2 est exclu de l'ensemble des solutions. On raye la partie de la droite qui ne convient pas.

• *Exemple 2 :*

Soit à résoudre l'inéquation $3x + 5 \leqslant 7x + 13$.

$$3x + 5 \leqslant 7x + 13 \quad \text{On transpose } 7x \text{ et } 5.$$
$$3x - 7x \leqslant 13 - 5 \quad \text{On réduit les deux membres.}$$
$$-4x \leqslant 8 \quad \text{On divise les deux membres par } -4.$$

$$x \geqslant \frac{8}{-4}$$
$$x \geqslant -2$$

Les nombres solutions sont les nombres supérieurs ou égaux à -2.

Représentation graphique des solutions :

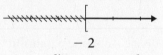

Le crochet tourné vers l'intérieur indique que -2 appartient à l'ensemble des solutions.

Cas particuliers :

L'inéquation $0x > 1$ n'admet pas de solution.
Par contre tout nombre est solution de l'inéquation $0x < 1$.

d - Systèmes de deux inéquations

Définition
Un système d'inéquation est un groupement d'inéqua-tions.

• *Exemple :*

$$\begin{cases} 2x + 3 \geqslant 8 \\ 5x - 6 < 2x + 3 \end{cases}$$

C'est un système de deux inéquations à une inconnue.

Résolution :

$$\begin{cases} 2x + 3 \geqslant 8 \\ 5x - 6 < 2x + 3 \end{cases}$$

$$\begin{cases} 2x \geqslant 8 - 3 \\ 5x - 2x < 3 + 6 \end{cases}$$

$$\begin{cases} 2x \geqslant 5 \\ 3x < 9 \end{cases}$$

$$\begin{cases} x \geqslant \dfrac{5}{2} \\ x < \dfrac{9}{3} \end{cases}$$

$$\begin{cases} x \geqslant 2,5 \\ x < 3 \end{cases}$$

Les nombres solutions du système sont les nombres supé-rieurs ou égaux à 2,5 et inférieurs strictement à 3.

Représentation graphique :

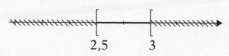

2,5   3

IX
Proportion et pourcentages

1. Proportionnalité

a - Tableau de proportionnalité

> **Définition**
>
> **On dit que deux suites de nombres sont proportionnelles si :**
>
> • Il y a autant de nombres dans chaque suite.
> • Le tableau formé par ces deux suites est un tableau de proportionnalité.
> • Le rapport d'un nombre de la première ligne par le nombre correspondant de la seconde ligne est constant et il est égal au coefficient de proportionnalité.

• *Exemple :*

On considère le tableau suivant :

8	12	34	68
10	15	42,5	85

$$\frac{10}{8} = \frac{15}{12} = \frac{42,5}{34} = \frac{85}{68} = 1,25$$

Tous les quotients sont égaux à 1,25. C'est un tableau de proportionnalité et le coefficient de proportionnalité est 1,25.

🎓 **Règle :** Dans un tableau de proportionnalité, le coefficient se calcule en divisant le nombre de la deuxième ligne par le nombre correspondant de la première ligne.

⚠️ Le coefficient de proportionnalité n'est pas toujours un nombre décimal.

• *Exemple :*

On considère le tableau suivant :

15	12	21	30
5	4	7	10

$$\frac{5}{15} = \frac{4}{12} = \frac{7}{21} = \frac{10}{30} = \frac{1}{3}$$

Le coefficient de proportionnalité est $\frac{1}{3}$.

b - Propriétés des suites proportionnelles

> **Propriété**
>
> Lorsque deux suites sont proportionnelles, si on double, triple... une valeur de l'une des suites, alors la valeur correspondante double, triple... aussi. Autrement dit, les deux suites varient dans les mêmes proportions.

• *Exemple :*

On considère le tableau de proportionnalité suivant :

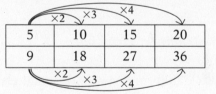

> **Propriété**
>
> Dans un tableau de proportionnalité, les « produits en croix » sont égaux deux à deux.

• *Exemple :*

12	15	18	22
30	37,5	45	55

On constate que $12 \times 37,5 = 450$ et $30 \times 15 = 450$
$\qquad\qquad\quad 15 \times 45 = 675$ et $18 \times 37,5 = 675$
$\qquad\qquad\quad 18 \times 55 = 990$ et $22 \times 45 = 990$
Les « produits en croix » sont égaux.

c - Déterminer une quatrième proportionnelle

• *Exemple :*

Une voiture consomme 6 litres d'essence aux 100 km.
Quelle est la quantité d'essence nécessaire pour parcourir 250 km ?
Combien de kilomètres peut-on parcourir avec 45 litres d'essence ?
C'est une situation de proportionnalité. Pour résoudre ce type de problème, il peut être utile de dresser un tableau.

Consommation (en l)	6	x	45
Distance parcourue (en km)	100	250	y

On utilise les « produits en croix » $= \dfrac{250 \times 6}{100} = 15$ litres

$$y = \dfrac{45 \times 100}{6} = 750 \text{ km}$$

d - Proportionnalité et graphique

• *Exemple :*

On considère le tableau de proportionnalité suivant :

2	4	6	8
7	14	21	28

À chaque colonne du tableau, on associe un point du plan ayant pour abscisse le nombre de la première ligne et en ordonnée celui de la deuxième ligne qui lui correspond. Avec ces points, on construit un graphique.

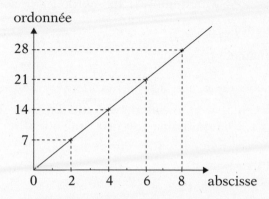

Propriété

Dans une situation de proportionnalité, les points sont alignés avec l'origine.

2. Pourcentages

a - Pourcentages et proportionnalité

Les pourcentages sont très présents dans la vie quotidienne.

• *Exemple :*

Lors des soldes, un magasin annonce 20 % de réduction.
Cela signifie que, pour un article affiché 100 €, la réduction est de 20 €.
Si un article coûte 65 €, quel sera le montant de la réduction ?
La réduction et le prix initial sont des grandeurs proportionnelles.
On dresse un tableau de proportionnalité :

Prix initial	100	65
Réduction	20	x

$$x = \frac{65 \times 20}{100} = 13$$

La réduction est de 13 €.

Calculer 20 % d'un nombre, c'est multiplier ce nombre par le quotient $\frac{20}{100}$).

D'une manière plus générale :

Définition

Un pourcentage est un quotient de dénominateur 100.
Calculer t % d'un nombre (un prix, une quantité...), c'est multiplier ce nombre par le quotient $\frac{t}{100}$.
t % se lit « t pour cent ».
Le nombre t est le taux de pourcentage.

• *Exemple :*

Le loyer de Monsieur Bouvet est de 600 €. Il augmente de 4 %. Quelle est l'augmentation ? Quel est le nouveau loyer ?

$$600 \times \frac{4}{100} = 600 \times 4 : (100) = 24 \text{ €}$$

L'augmentation est de 24 €. Le nouveau loyer est de 24 + 600 = 624 €.

b - Calculer un pourcentage

• *Exemple :*

Lors d'un sondage, 754 personnes sur les 1 300 interrogées avouent préférer passer leurs vacances au bord de la mer. Quel pourcentage cela représente-t-il ?

C'est une situation de proportionnalité. On range les données dans un tableau.

Effectif total	1 300	100
Effectif préférant les vacances au bord de la mer	754	x

$$x = \frac{754 \times 100}{1\,300} = 58$$

58 % des personnes préfèrent passer leurs vacances au bord de la mer.

TABLE DES SYMBOLES

Signe	Signification	Exemple
=	égal à	$2 + 3 = 5$
$\neq$	différent de	$2 \neq 5$
$\approx$ ou $\cong$	environ égal à	$\pi \approx 3,14$
$<$	strictement inférieur à	$2 < 3$
$>$	strictement supérieur à	$4 > 2$
$\leqslant$	inférieur ou égal à	$4 \leqslant 6$; $2 \leqslant 2$
$\geqslant$	supérieur ou égal à	$5 \geqslant 1$; $3 \geqslant 3$
$+$	plus	$1 + 1 = 2$
$-$	moins	$3 - 2 - 1$
$\times$	fois ou multiplié par	$4 \times 5 = 20$
:	divisé par	$36 : 9 = 4$
$\div$	divisé par	Division sur les calculatrices
/ ou —	divisé par ou sur	$2/5$ ou $\dfrac{2}{5}$
^{2}	au carré puissance 2	$5^2 = 5 \times 5 = 25$
^{3}	au cube puissance 3	$5^3 = 5 \times 5 \times 5 = 125$
^{n}	puissance n exposant n	$5^n = 5 \times ... \times 5$ n fois
$\sqrt{}$	racine carrée radical	$\sqrt{225} = 15$

Deuxième partie

La géométrie

par Alain Gastineau

I

Les généralités

1. Le plan, les droites, les points

Définitions

Il existe un ensemble, appelé **plan**, dont les éléments sont appelés **points**.

Étant donné deux points distincts A et B, il existe une et une seule **droite** contenant A et B. On la note (AB) ou (BA).

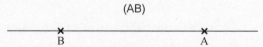

Remarque : Une droite peut aussi se nommer (D) ou (xy).

Le **segment** $[AB]$ est l'ensemble des points de la droite (AB) situés entre A et B.

A et B s'appellent les **extrémités** du segment.

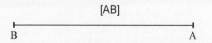

Un point partage une droite en deux **demi-droites**.
La demi-droite $[AB)$ est celle qui contient le point B.
A s'appelle l'**origine** de la demi-droite $[AB)$.

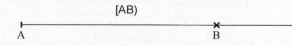

Le **milieu** I d'un segment $[AB]$ est le point du segment situé à égale distance de A et B.

2. Le parallélisme et l'orthogonalité

Définition

Deux droites (D) et (D') sont dites **parallèles** si, et seulement si, elles n'ont aucun point en commun (on dit alors qu'elles sont disjointes) ou si elles sont confondues. On écrit $\boxed{(D) \parallel (D')}$.

- Premier cas de parallélisme : (D) et (D') sont disjointes.

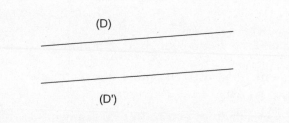

- Deuxième cas de parallélisme : (D) et (D') sont confondues.

Axiome

Soit (D) une droite et M un point quelconque du plan. Par le point M il passe une et une seule droite parallèle à (D).

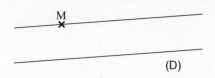

Définition

Deux droites (D) et (D') sont dites **perpendiculaires** si, et seulement si, elles se coupent en formant un angle droit.

On écrit $\boxed{(D) \perp (D')}$.

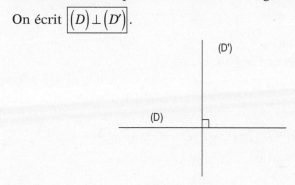

Axiome

Soit (D) une droite et M un point quelconque du plan. Par le point M il passe une et une seule droite (D') perpendiculaire à (D).

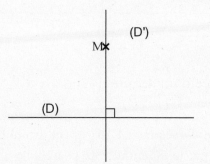

Théorèmes

- Si deux droites sont perpendiculaires à une même troisième alors elles sont parallèles entre elles.
  Écriture mathématique du théorème :

$$(D) \perp (D') \text{ et } (D'') \perp (D') \Rightarrow (D) \| (D'')$$

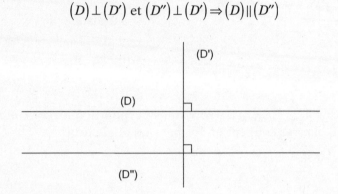

- Si deux droites sont parallèles alors toute perpendiculaire à l'une est perpendiculaire à l'autre.
  Écriture mathématique du théorème :

$$(D) \| (D') \text{ et } (D'') \perp (D') \Rightarrow (D'') \perp (D)$$

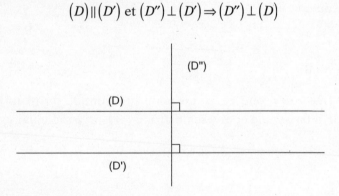

3. La médiatrice d'un segment

Définitions

La **médiatrice** du segment $\left[AB\right]$ est la droite perpendiculaire à (AB) et passant par le milieu de $\left[AB\right]$.

Une autre définition est : la médiatrice d'un segment est l'ensemble des points équidistants des extrémités du segment.

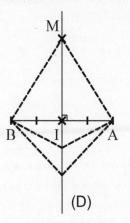

Dire que M est équidistant des extrémités du segment $[AB]$ signifie que $MA = MB$.

(D) est la médiatrice du segment $[AB]$.

Remarque : la médiatrice du segment $[AB]$ partage le plan en deux **demi-plans** : l'un contient A et l'autre contient B.

Construction de la médiatrice d'un segment $[AB]$

- On trace un arc de cercle de centre A et de rayon supérieur à IA (I est le milieu de $[AB]$).
- On trace un arc de cercle de centre B et de même rayon que le précédent.
- Les deux arcs de cercle se coupent en M et N.
- La droite (MN) est la médiatrice de $[AB]$.

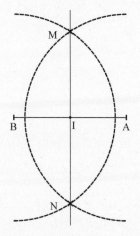

Exercice :

Reconstituer entièrement le cercle (C) qui a été en partie effacé.

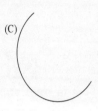

Solution :

Soit A, B et C trois points du cercle (C) de centre O. O est à égale distance de A, B et C donc il appartient à la médiatrice de $[AB]$ et de $[BC]$. Il suffit de construire ces deux droites pour déterminer la position de O. On peut alors achever la construction du cercle.

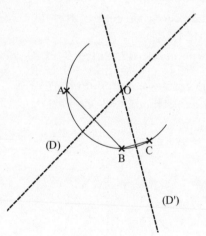

(D) est la médiatrice de $[AB]$ et (D') celle de $[BC]$. Elles se coupent en O.

4. Les angles

Définitions

Une unité de mesure d'un angle est le **degré**, noté °.

Remarque : on écrit mes$\widehat{BAC} = 36°$ mais par abus de notation on écrit aussi $\widehat{BAC} = 36°$.

- Un angle qui a pour mesure 0 degré est un **angle nul**.

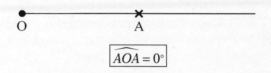

$$\widehat{AOA} = 0°$$

- Un angle qui a pour mesure 90 degrés est un **angle droit**.

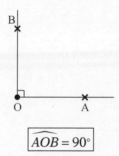

$$\widehat{AOB} = 90°$$

- Un angle qui a pour mesure 180 degrés est un **angle plat**.

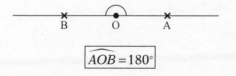

$$\widehat{AOB} = 180°$$

- Un angle qui a une mesure comprise entre 0° et 90° est un angle **aigu**.

- Un angle qui a une mesure comprise entre 90° et 180° est un angle **obtus**.

- Un angle qui a une mesure comprise entre 180° et 360° est un angle **rentrant**.

• Deux angles **adjacents** ont le même sommet, un côté commun ; les autres côtés sont situés de part et d'autre du côté commun.

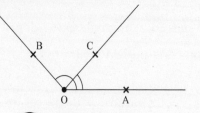

Les angles $\widehat{AOC}$ et $\widehat{COB}$ sont adjacents.

• Des angles sont **supplémentaires** lorsque la somme de leurs mesures égale 180°.

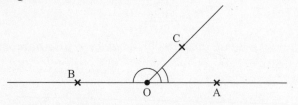

Les angles $\widehat{BOC}$ et $\widehat{COA}$ sont supplémentaires.

$$\widehat{BOC} + \widehat{COA} = 180°.$$

• Des angles sont **complémentaires** lorsque la somme de leurs mesures égale 90°.

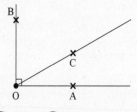

Les angles $\widehat{BOC}$ et $\widehat{COA}$ sont complémentaires.

$$\widehat{BOC} + \widehat{COA} = 90°.$$

• Les angles $\widehat{AOB}$ et $\widehat{COD}$ sont **opposés** par le sommet.

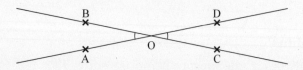

Deux angles opposés par le sommet ont la même mesure.

• Angles formés par deux droites coupées par une sécante.

Deux droites (D) et (D') sont coupées par une troisième (D'') de façon à déterminer huit angles.

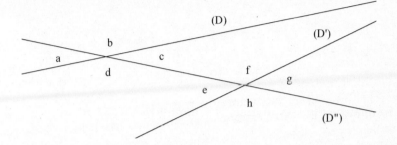

• Un angle qui est situé à l'intérieur de la partie délimitée par les deux droites (D) et (D') est un angle **interne**. Exemple : les angles c, d, e et f sont internes.

• Un angle qui est situé à l'extérieur de la partie délimitée par les deux droites (D) et (D') est un angle **externe**. Exemple : les angles a, b, g et h sont externes.

• Deux angles qui sont de part et d'autre de la sécante sont **alternes**. Exemple : les angles a et f ou b et h sont alternes.

• Des angles qui sont à la fois alternes et internes sont appelés angles **alternes-internes**. Exemple : les angles d et f sont alternes-internes.

• Des angles qui sont à la fois alternes et externes sont appelés angles **alternes-externes**. Exemple : les angles a et g sont alternes-externes.

• Des angles qui sont du même côté de la sécante, l'un interne et l'autre externe sont appelés angles **correspondants**. Exemple : les angles a et e sont correspondants.

Propriétés

Si les deux droites (D) et (D') sont parallèles alors :

• Les angles alternes-internes sont égaux. Exemple : $d = f$ et $c = e$.

• Les angles alternes-externes sont égaux. Exemple : $a = g$ et $b = h$.

- les angles correspondants sont égaux. Exemple : $a = e$, $d = h$, $b = f$ et $c = g$.

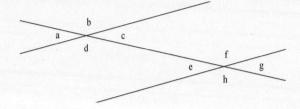

Remarque : la réciproque est vraie.

Définition

La **bissectrice** de l'angle $\widehat{AOB}$ est la demi-droite d'origine O qui partage cet angle en deux angles égaux.

$[OC)$ est la bissectrice de l'angle $\widehat{AOB}$.

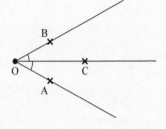

$$\boxed{\widehat{AOC} = \widehat{COB}}.$$

Théorème

La bissectrice d'un angle est l'ensemble des points intérieurs équidistants des côtés.

Autrement dit : pour tout point M appartenant à la bissectrice de $\widehat{AOB}$, on a $MH = MK$; et réciproquement.

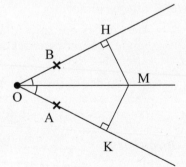

Exercice :

On considère la figure suivante :

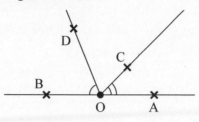

On a $\widehat{BOD} = 67.5°$ et $\widehat{COA} = 45°$.

Montrer que $[OD)$ est la bissectrice de $\widehat{BOC}$.

Solution :

$\widehat{BOD}$, $\widehat{DOC}$ et $\widehat{COA}$ sont supplémentaires donc

$\widehat{BOD} + \widehat{DOC} + \widehat{COA} = 180°$.

$67.5° + \widehat{DOC} + 45° = 180°$.

Soit $\widehat{DOC} = 180°$ $112.5° = 67.5°$.

$\widehat{BOD} = \widehat{DOC}$ donc $[OD)$ est la bissectrice de $\widehat{BOC}$.

Une utilisation des angles correspondants :
le rayon de la terre calculé par Ératosthène (250 avant J.-C.)

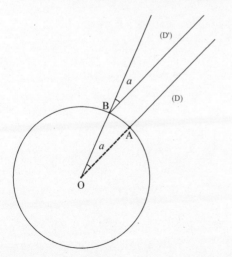

II. LA GÉOMÉTRIE

Le soleil à Assouan (symbolisée par le point A) est au zénith donc (D), symbolisant un rayon du soleil, passe par le centre de la terre. Au même instant, à Alexandrie (symbolisée par le point B) un rayon du soleil (D') fait un angle a avec la verticale (OB). (D) et (D') sont parallèles donc $\widehat{AOB} = a$ (les angles $\widehat{AOB}$ et a sont correspondants).

Ératosthène mesure l'angle a et trouve 7.15°. Ensuite il mesure la distance Assouan-Alexandrie et trouve 800 km. On peut alors déterminer la circonférence de la terre.

La longueur d'un arc est proportionnelle à la mesure de l'angle au centre qui l'intercepte.

Angle au centre	360	7,15
Longueur de l'arc	L	800

Il obtient $L = \dfrac{800 \times 360}{7.15}$ soit $L = 40300$ km, puis il en déduit le rayon de la terre en utilisant la formule $L = 2\pi R$.

$R = \dfrac{40300}{2 \times 3.14}$ d'où $\boxed{R = 6400 \text{ km}}$.

II

Les triangles

1. Les généralités

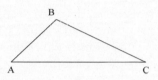

Définitions

- A, B et C sont les **sommets** du triangle.

- $[AB]$, $[AC]$ et $[BC]$ sont les **côtés** du triangle.

- $\widehat{ABC}$, $\widehat{BAC}$ et $\widehat{ACB}$ sont les **angles** du triangle.

Inégalité triangulaire

Soit A, B et C trois points quelconques du plan. La distance entre A et B est inférieure ou égale à la somme de la distance entre A et C et de la distance entre B et C. On écrit $d(A,B) \leq d(A,C) + d(C,B)$ ou plus simplement $AB \leq AC + CB$.

2. Les triangles particuliers

a. Le triangle isocèle

- Un triangle qui a deux côtés de même longueur est un triangle **isocèle**.

- Si ABC est isocèle en A alors $[BC]$ est la base et $AB = AC$.

- Les angles à la base sont égaux donc $\widehat{ABC} = \widehat{ACB}$.

• La médiatrice de $[BC]$ est un axe de symétrie du triangle. C'est aussi la bissectrice de l'angle $\widehat{BAC}$, la hauteur et la médiane issues de A.

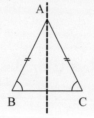

b. Le triangle équilatéral

• Un triangle qui a trois côtés de même longueur est un triangle **équilatéral**. Les trois angles sont égaux et valent 60°.

• Les médiatrices des côtés sont les axes de symétrie du triangle.

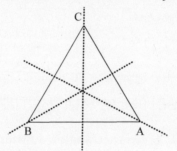

Remarque : un triangle dont les trois côtés sont inégaux est un triangle **scalène**.

c. Le triangle rectangle

• Un triangle qui a un angle droit est un triangle **rectangle**.

• Si ABC est un triangle rectangle en A alors $[BC]$ est l'**hypoténuse** (c'est le plus grand des trois côtés).

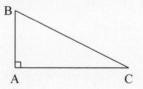

3. Les angles d'un triangle

Dans un triangle ABC la somme des angles égale 180°.

$$\widehat{A} + \widehat{B} + \widehat{C} = 180°$$

Exercice :

Soit ABC un triangle et (DE) la droite passant par A et parallèle à (BC) comme cela est indiqué sur la figure. Montrer que $\widehat{DAB} = \widehat{ABC}$ et $\widehat{EAC} = \widehat{ACB}$. En déduire que la somme des angles du triangle ABC égale 180°.

Solution :

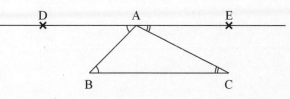

Les droites (DE) et (BC) sont parallèles, coupées par la sécante (AB) et les angles $\widehat{DAB}$ et $\widehat{ABC}$ sont alternes-internes donc ils sont égaux : $\widehat{DAB} = \widehat{ABC}$.

Les droites (DE) et (BC) sont parallèles, coupées par la sécante (AC) et les angles $\widehat{EAC}$ et $\widehat{ACB}$ sont alternes-internes donc ils sont égaux : $\widehat{EAC} = \widehat{ACB}$.

De plus, $\widehat{DAE}$ est un angle plat donc $\widehat{DAE} = 180°$ soit $\widehat{DAB} + \widehat{BAC} + \widehat{EAC} = 180°$. En remplaçant $\widehat{DAB}$ par $\widehat{ABC}$ et $\widehat{EAC}$ par $\widehat{ACB}$, on obtient $\boxed{\widehat{ABC} + \widehat{BAC} + \widehat{ACB} = 180°}$.

Exercice :

Dans un triangle ABC, on a : $\widehat{A} = 54°$ et $\widehat{B} = 72°$.
Déterminer la nature du triangle ABC.

Solution :

La somme des angles du triangle égale 180°. $\widehat{A} + \widehat{B} + \widehat{C} = 180°$ donc $54° + 72° + \widehat{C} = 180°$ d'où $126° + \widehat{C} = 180°$ soit $\boxed{\widehat{C} = 54°}$. Comme $\widehat{A} = \widehat{C}$, on en déduit que ABC est isocèle en B.

4. Les médiatrices d'un triangle

Les trois médiatrices d'un triangle concourent en un même point appelé **centre du cercle circonscrit** au triangle *ABC*.

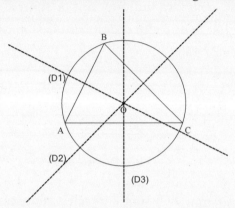

O est le centre du cercle circonscrit. Il est équidistant des sommets du triangle. Les droites (D_1), (D_2) et (D_3) sont les médiatrices du triangle.

5. Les médianes d'un triangle

Dans un triangle une **médiane** est une droite passant par un sommet et le milieu du côté opposé. Les trois médianes d'un triangle concourent en un même point appelé **centre de gravité** du triangle.

De plus, $AG = \dfrac{2}{3}AI$, $BG = \dfrac{2}{3}BJ$, $CG = \dfrac{2}{3}CK$.

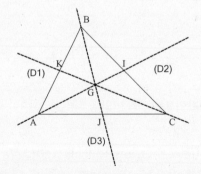

G est le centre de gravité du triangle. Les droites (D_1), (D_2) et (D_3) sont les médianes du triangle.

6. Les hauteurs d'un triangle

Dans un triangle une hauteur est une droite qui passe par un sommet et qui est perpendiculaire au côté opposé. Les trois hauteurs d'un triangle concourent en un même point appelé **orthocentre** du triangle.

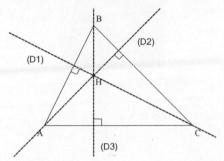

H est l'orthocentre du triangle. Les droites (D_1), (D_2) et (D_3) sont les hauteurs du triangle.

7. Les bissectrices d'un triangle

Les trois bissectrices des angles d'un triangle concourent en un même point appelé **centre du cercle inscrit** dans le triangle.

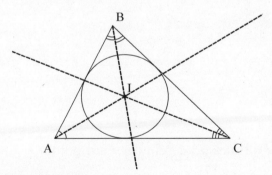

I est le centre du cercle inscrit dans le triangle. $[AI)$, $[BI)$ et $[CI)$ sont les bissectrices du triangle.

Le cercle inscrit dans le triangle est tangent aux trois côtés du triangle.

8. La droite d'Euler

Leonhard Euler est un mathématicien suisse du XVIIIᵉ siècle.

Dans tout triangle, le centre de gravité, le centre du cercle circonscrit et l'orthocentre appartiennent à une même droite appelée **droite d'Euler**.

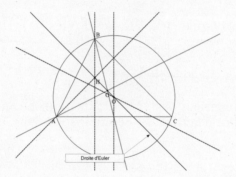

O : centre du cercle circonscrit, G : centre de gravité, H : orthocentre.

$$\overrightarrow{OG} = \frac{1}{3}\overrightarrow{OH}$$

9. Le cercle d'Euler ou cercle des neuf points

Soit ABC un triangle, O le centre de son cercle circonscrit et H son orthocentre. On note $A1$, $A5$, $A7$ les milieux des côtés, $A2$, $A4$, $A8$ les pieds des hauteurs et $A3$, $A6$, $A9$ les milieux des segments $[BH]$, $[CH]$, $[AH]$. Le cercle de centre U, milieu de $[OH]$, passant par $A1$, passe aussi par les points $A2$, $A3$, $A4$, $A5$, $A6$,

$A7$, $A8$, $A9$. On l'appelle le cercle d'Euler dont le rayon égale la moitié du rayon du cercle circonscrit au triangle ABC.

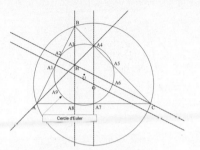

10. La droite de Simson

Simson est un mathématicien écossais du XVIIIᵉ siècle.

Soit ABC un triangle et (C) son cercle circonscrit. Soit M un point de (C). On note P, Q et R les projetés orthogonaux de M sur les côtés du triangle ABC. Les points P, Q et R sont alignés sur une droite appelée droite de Simson.

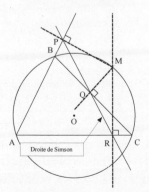

11. L'aire d'un triangle

L'aire d'un triangle égale le demi-produit de la base par la hauteur.

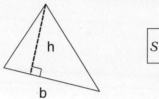

$$S = \frac{b \times h}{2}$$

Exemple :

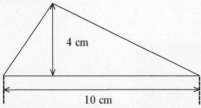

L'aire du triangle est

$$S = \frac{4 \times 10}{2} = \boxed{20\,\text{cm}^2}.$$

La formule de Héron

Héron d'Alexandrie est un mathématicien grec du 1er siècle après J.-C.

Soit *ABC* un triangle et *a*, *b*, *c* les longueurs des côtés du triangle. Notons *p* le demi-périmètre du triangle.

L'aire du triangle est $\boxed{S = \sqrt{p(p-a)(p-b)(p-c)}}$.

Exemple :

L'aire d'un triangle dont les dimensions sont $3\,\text{cm}$, $5\,\text{cm}$ et $6\,\text{cm}$ est :

$$S = \sqrt{7 \times 4 \times 2 \times 1} = \sqrt{56} \approx \boxed{7.5\,\text{cm}^2}.$$

III

Les quadrilatères convexes

1. Les généralités

Un quadrilatère est convexe lorsque tout segment joignant deux points du quadrilatère reste à l'intérieur de ce quadrilatère.

Si le quadrilatère n'est pas convexe alors il est croisé ou concave. On ne s'intéressera qu'aux quadrilatères convexes.

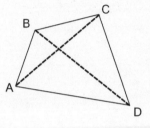

Soit *ABCD* un quadrilatère convexe.

Définitions

- *A*, *B*, *C* et *D* sont les **sommets** du quadrilatère.

- $[AB]$, $[BC]$, $[CD]$ et $[DA]$ sont les **côtés**.

- $\widehat{BAC}$, $\widehat{ABC}$, $\widehat{BCD}$ et $\widehat{CDA}$ sont les **angles**.

- $[AC]$ et $[BD]$ sont les **diagonales**.

2. Le trapèze

Un **trapèze** est un quadrilatère ayant deux côtés parallèles.

$[AB]$ et $[DC]$ sont les **bases** du trapèze.

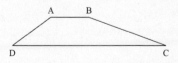

Le trapèze isocèle

Lorsque les deux côtés non parallèles d'un trapèze ont la même longueur, on dit que le trapèze est **isocèle**.

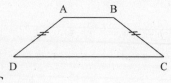

$$AD = BC$$

Remarque : les angles à la base sont égaux.

$$\widehat{ADC} = \widehat{BCD}$$

Le trapèze rectangle

Un trapèze possédant un angle droit est un trapèze rectangle.

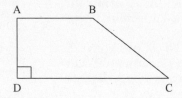

L'aire d'un trapèze

L'aire d'un trapèze égale le demi-produit de la hauteur par la somme de la grande base et de la petite base.

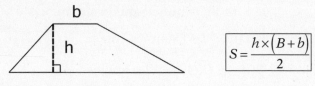

$$S = \frac{h \times (B + b)}{2}$$

Exemple :

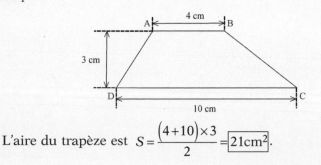

L'aire du trapèze est $S = \dfrac{(4 + 10) \times 3}{2} = \boxed{21 \text{cm}^2}$.

3. Le parallélogramme

Un **parallélogramme** est un quadrilatère dont les côtés opposés sont parallèles.

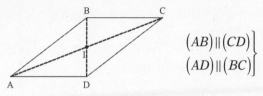

$$(AB)\|(CD)\Big\}$$
$$(AD)\|(BC)\Big\}$$

ABCD est un parallèlogramme.

Caractéristiques

Si *ABCD* est un parallélogramme alors :

- Les côtés opposés sont de même longueur : $AB = DC$ et $AD = BC$.
- Les diagonales se coupent en leur milieu : I est le milieu de $\big[AC\big]$ et de $\big[BD\big]$.
- Les angles opposés sont égaux : $\widehat{ABC} = \widehat{ADC}$ et $\widehat{BAD} = \widehat{BCD}$.
- Les angles consécutifs sont supplémentaires.
- I est un centre de symétrie appelé **centre** du parallélogramme.

Exercice :

Montrer qu'en joignant les milieux des côtés d'un quadrilatère quelconque, on obtient un parallélogramme.

Solution :

Cette propriété a été découverte par Pierre Varignon, mathématicien français du XVIIIe siècle (*voir photo ci-dessous*).

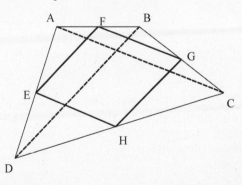

E, F, G et H sont les milieux respectifs de $[AD]$, $[AB]$, $[BC]$, $[DC]$.

Dans le triangle ABD, F est le milieu de $[AB]$ et E est le milieu de $[AD]$ donc, d'après un corollaire du théorème de Thalès, (EF) est parallèle à (BD).

Dans le triangle BCD, G est le milieu de $[BC]$ et H est le milieu de $[DC]$ donc (GH) est parallèle à (BD).

On en déduit que (EF) est parallèle à (GH).

On procède de même dans les triangles ABC et ADC pour montrer que (EH) est parallèle à (FG).

Finalement, les côtés opposés du quadrilatère $EFGH$ sont parallèles donc $EFGH$ est un parallélogramme.

L'aire d'un parallélogramme

L'aire d'un parallélogramme égale le produit de la hauteur par la base.

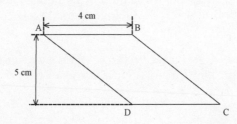

$$\boxed{S = Bh}$$

Exemple :

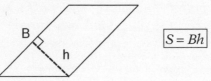

L'aire du parallélogramme est $S = 5 \times 4 = \boxed{20\,\text{cm}^2}$.

4. Le rectangle

Un **rectangle** est un parallélogramme dont les côtés consécutifs sont deux à deux perpendiculaires.

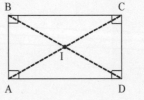

$(AB) \perp (BC)$
$(BC) \perp (CD)$
$(CD) \perp (DA)$
$(DA) \perp (AB)$

Propriétés

Si *ABCD* est un rectangle alors :

- Les quatre angles du rectangle sont droits :
$$\widehat{A} = \widehat{B} = \widehat{C} = \widehat{D} = 90°.$$

- Les diagonales ont la même longueur :
$$AC = BD.$$

- Le rectangle possède deux axes de symétrie : les médiatrices des côtés.

L'aire d'un rectangle

L'aire d'un rectangle égale le produit de la longueur par la largeur.

$$\boxed{S = Ll}$$

Exemple :

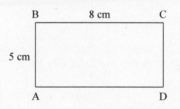

L'aire du rectangle est $S = 5 \times 8 = \boxed{40\,\text{cm}^2}$.

5. Le losange

Un **losange** est un parallélogramme dont les quatre côtés ont la même longueur.

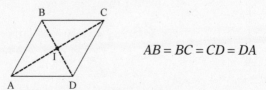

$$AB = BC = CD = DA$$

Propriétés

Si *ABCD* est un losange alors :

- Les diagonales sont perpendiculaires :
$$(AC) \perp (BD)$$
- Le losange possède deux axes de symétrie : les diagonales.

L'aire d'un losange

L'aire d'un losange égale le produit d'un côté par la hauteur.

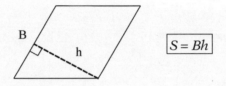

$$S = Bh$$

Exemple :

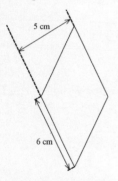

L'aire du losange est :

$S = 5 \times 6 = \boxed{30\,\text{cm}^2}$.

Autre formule : L'aire d'un losange égale le demi-produit des deux diagonales.

Exemple :

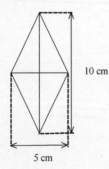

L'aire du losange est :

$$S = \frac{1}{2}dD = \frac{1}{2} \times 5 \times 10 = 25 \text{ cm}^2.$$

6. Le carré

Le **carré** est un rectangle et un losange.

Le carré possède toutes les propriétés du rectangle et du losange.

L'aire d'un carré

L'aire d'un carré égale le carré d'un côté.

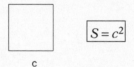

$$S = c^2$$

Exemple :

L'aire d'un carré de côté 4 cm est $S = \boxed{16 \, cm^2}$.

Une curiosité

Si on construit quatre carrés sur les côtés d'un quadrilatère quelconque alors, en notant E, F, G et H les centres des carrés, on a : (EG) est perpendiculaire à (FH) et $EG = FH$.

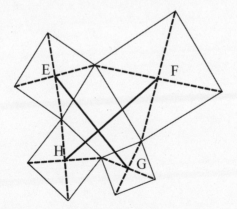

IV

Les polygones

Nombre de côtés	Polygones
3	Triangle
4	Quadrilatère
5	Pentagone
6	Hexagone
7	Heptagone
8	Octogone
9	Ennéagone
10	Décagone

Les polygones réguliers

Un polygone régulier est un polygone convexe dont les côtés ont la même longueur et dont les angles sont égaux.
Le polygone régulier à trois côtés est un triangle équilatéral.
Le polygone régulier à quatre côtés est un carré.

Construction du pentagone régulier

• On trace un cercle (C) de centre O puis deux rayons $[OA]$ et $[OB]$ perpendiculaires.

• $[AC]$ est un diamètre et I est le milieu de $[OC]$.

• Tracer le cercle de centre I et de rayon $[IB]$. Il coupe $[OA]$ en K. Soit H le milieu de $[OK]$.

• La perpendiculaire à (AC) passant par H coupe le cercle (C) en A_1.

• $[AA_1]$ est un côté du pentagone. Le cercle de centre A_1 et de rayon $[AA_1]$ recoupe (C) en A_2. On obtient les autres points avec le même procédé.

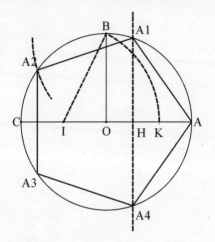

Construction de l'hexagone régulier

- On trace un cercle (C) de centre O puis un rayon $[OA]$.
- Le cercle de centre A et de rayon $[OA]$ coupe (C) en A_1.
- $[AA_1]$ est un côté de l'hexagone régulier. Le cercle de centre A_1 et de rayon $[AA_1]$ recoupe (C) en A_2. On obtient les autres points avec le même procédé.

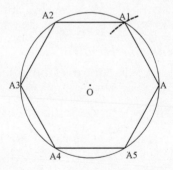

V

Le cercle

Définition

Le **cercle** de centre O et de rayon r est l'ensemble des points du plan dont la distance au point O égale r.

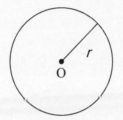

La tangente en un point au cercle

Soit (C) un cercle de centre O. La **tangente** en A au cercle (C) est la droite perpendiculaire à (OA) et passant par le point A.

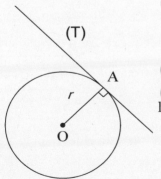

$(T) \perp (OA)$.

(T) n'a qu'un seul point commun avec le cercle.

Théorème de l'angle inscrit

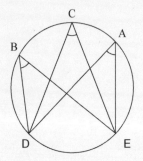

Deux **angles inscrits** qui interceptent le même arc ont la même mesure.

Les angles $\widehat{DBE}$, $\widehat{DCE}$ et $\widehat{DAE}$ sont inscrits et interceptent le même arc de cercle $\widehat{DE}$; ils ont donc la même mesure.

Théorème de l'angle au centre

La mesure de l'angle inscrit égale la moitié de la mesure de l'**angle au centre** interceptant le même arc.

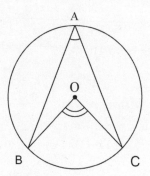

Les angles $\widehat{BAC}$ et $\widehat{BOC}$ interceptent le même arc de cercle, $\widehat{BAC}$ est inscrit et $\widehat{BOC}$ est un angle au centre, on a donc $\boxed{\widehat{BAC} = \dfrac{1}{2}\widehat{BOC}}$.

Cas particulier :

Si A appartient au cercle de diamètre $[BC]$ alors le triangle ABC est rectangle en A. Réciproquement, le cercle circonscrit à un triangle rectangle a pour diamètre l'hypoténuse.

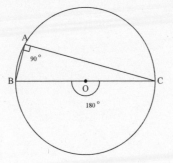

Une application :

On considère un cercle (C) de centre O et un point A extérieur au cercle. Construire deux tangentes au cercle passant par le point A.

Il suffit de construire (C') le cercle de diamètre $[OA]$. Il coupe (C) en deux points B et C.

B appartient au cercle de diamètre $[OA]$ donc l'angle $\widehat{OBA}$ est droit. De même, on montre que l'angle $\widehat{OCA}$ est droit Les deux tangentes sont donc (BA) et (CA).

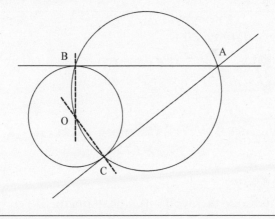

Exercice :

On considère un cercle de centre O.

A, B, C et D sont quatre points du cercle tels que (AB) et (DC) sont parallèles. Les droites (AC) et (BD) se coupent en E. Démontrer que EDC et EAB sont isocèles en E.

Solution :

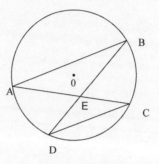

Les droites (AB) et (DC) sont parallèles, coupées par la sécante (BD) et les angles $\widehat{ABD}$ et $\widehat{BDC}$ sont alternes-internes donc $\widehat{ABD} = \widehat{BDC}$ (1).

Les angles $\widehat{ABD}$ et $\widehat{ACD}$ sont inscrits et interceptent le même arc $\widehat{AD}$ donc $\widehat{ABD} = \widehat{ACD}$ (2). D'après (1) et (2), on a $\widehat{BDC} = \widehat{ACD}$. On peut affirmer que le triangle EDC est isocèle en E.

On procède de la même manière avec le triangle EAB.

Circonférence d'un cercle

La circonférence d'un cercle de rayon r (ou de diamètre D) est $\boxed{L = 2\pi r}$ ou $\boxed{L = \pi D}$.

Exemple :

La circonférence d'un cercle de rayon 10 cm est
$$L = 2 \times \pi \times 10 \approx 62.8 \text{ cm.}$$

L'aire d'un disque

L'aire d'un disque de rayon r (ou de diamètre D) est $\boxed{S = \pi r^2}$ ou $\boxed{S = \pi \dfrac{D^2}{4}}$.

Exemple :

L'aire d'un disque de rayon 10 cm est $S = \pi \times 10^2 \approx 314 \text{ cm}^2$.

VI

Le théorème de Pythagore

Pythagore de Samos est un mathématicien
et philosophe grec du VIᵉ siècle avant J.-C.

1. Énoncé du théorème de Pythagore

Si ABC est un triangle rectangle en A alors $\boxed{BC^2 = AB^2 + AC^2}$.
Autrement dit : dans un triangle rectangle, le carré de l'hypoténuse
égale la somme des carrés des deux autres côtés.

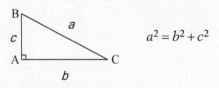

$$a^2 = b^2 + c^2$$

Une démonstration du théorème

On considère un carré $EFGH$. On place sur les côtés du carré les
points A, B, C et D (voir figure ci-dessous). L'aire du carré $EFGH$
est $(b+c)^2$. On montre facilement que $ABCD$ est un carré d'aire
égale à a^2. Les triangles rectangles EAD, AFB, BCG et DHC ont
une aire égale à $\frac{1}{2}bc$.

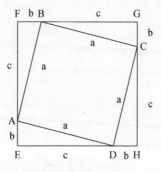

L'aire de *EFGH* ôtée de l'aire des quatre triangles égale l'aire de *ABCD* donc $\left(b+c\right)^2 - 4 \times \dfrac{1}{2}bc = a^2$ d'où $b^2 + 2bc + c^2 - 2bc = a^2$ soit $\boxed{b^2 + c^2 = a^2}$.

Exercice :

Soit *ABC* un triangle rectangle en *A* tel que $AB = 3$ et $BC = 5$. Calculer *AC*.

Solution :

Le triangle *ABC* est rectangle en *A* donc d'après le théorème de Pythagore, $BC^2 = AB^2 + AC^2$ donc $25 = 9 + AC^2$ d'où $AC^2 = 16$ soit $\boxed{AC = 4}$.

Exercice :

Soit *ABC* un triangle rectangle tel que $AB = 8$, $BC = 5$ et $AC = 6$. Montrer que le triangle n'est pas rectangle.

Solution :

$AB^2 = 64$, $BC^2 = 25$ et $AC^2 = 36$. Aucun carré n'égale la somme des deux autres donc, d'après la contraposée du théorème de Pythagore, le triangle ne peut pas être rectangle.

---

2. La réciproque du théorème de Pythagore

Si $BC^2 = AB^2 + AC^2$ alors le triangle ABC est rectangle en A.

Exercice :

Soit ABC un triangle tel que $AC = 12$, $AB = 16$ et $BC = 20$. Montrer que ABC est un triangle rectangle.

Solution :

On a $AC^2 = 144$, $AB^2 = 256$ et $BC^2 = 400$.

$BC^2 = AC^2 + AB^2$ donc, d'après la réciproque du théorème de Pythagore, ABC est un triangle rectangle en A.

VII

Le théorème de Thalès

*Thalès de Milet est un mathématicien grec
du VIe siècle avant J.-C.*

1. Énoncé du théorème de Thalès

Si ABB' et ACC' sont deux triangles tels que A, B, C sont alignés, A, B', C' sont alignés et (BB') est parallèle à (CC') alors $\dfrac{AB}{AC} = \dfrac{AB'}{AC'} = \dfrac{BB'}{CC'}$.

a. Situation 1

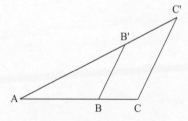

Si $(BB') \parallel (CC')$ alors $\boxed{\dfrac{AB}{AC} = \dfrac{AB'}{AC'} = \dfrac{BB'}{CC'}}$.

Corollaire

Dans un triangle ABC la parallèle à (BC) passant par le milieu de $[AB]$ coupe $[AC]$ en son milieu.

Exercice :

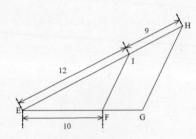

Hypothèses : $EF = 10$ cm, $EI = 12$ cm, $IH = 9$ cm et $(FI) \parallel (GH)$.
Calculer EG.

Solution :

I est un point du segment $[EH]$ donc $EH = EI + IH$ soit $EH = 21$ cm.

E, F, G sont alignés, E, I, H sont alignés et (FI) est parallèle à (GH) donc, d'après le théorème de Thalès, $\dfrac{EF}{EG} = \dfrac{EI}{EH}$. On obtient alors $\dfrac{10}{EG} = \dfrac{12}{21}$ donc $EG = \dfrac{10 \times 21}{12} = \boxed{17.5 \text{ cm}}$.

Exercice :

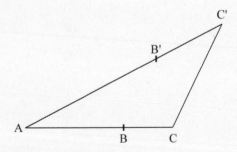

On donne : $AB = 9$ cm, $BC = 5$ cm, $AB' = 11$ cm, $B'C' = 7$ cm.
Les droites (BB') et (CC') sont-elles parallèles ?

Solution :

Si les droites (BB') et (CC') sont parallèles alors, d'après le théorème de Thalès, $\dfrac{AB}{AC} = \dfrac{AB'}{AC'}$. Or, $\dfrac{AB}{AC} = \dfrac{9}{14}$ et $\dfrac{AB'}{AC'} = \dfrac{11}{18}$.

Comme $\dfrac{9}{14} \neq \dfrac{11}{18}$, les droites (BC) et $(B'C')$ ne sont pas parallèles.

Une utilisation du théorème de Thalès

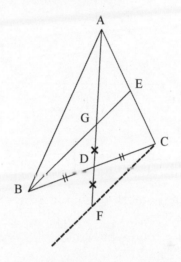

Montrons que le centre de gravité d'un triangle se situe aux deux tiers de la médiane.

Soit G le centre de gravité du triangle ABC, E le milieu de $[AC]$ et D le milieu de $[BC]$. Soit F le symétrique de G par rapport à D.

D est le milieu de $[BC]$ et D est le milieu de $[GF]$ donc le quadrilatère $BGCF$ est un parallélogramme. Ainsi la droite (GE) est parallèle à (FC).

Comme E est le milieu de $[AC]$, on en déduit que G est le milieu de $[AF]$ (corollaire du théorème de Thalès).

$AG + GD = AD$ or $AG = GF = 2GD$ donc $3GD = AD$ soit $GD = \dfrac{1}{3}AD$ ou $\boxed{AG = \dfrac{2}{3}AD}$.

Calcul de la hauteur de lu pyramide de Gizeh

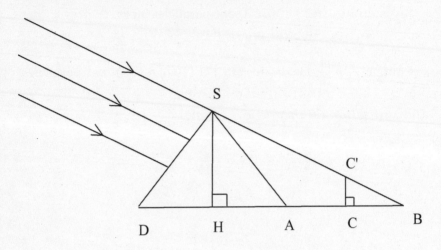

L'ombre de la pyramide a pour longueur AB.

On place verticalement un bâton de 1 m, symbolisé par le segment $[CC']$, en sorte que l'ombre du bâton se termine en B, comme l'ombre de la pyramide.

On obtient les longueurs suivantes : $AD = 232$ m , $AB = 73$ m , $CB = 1.3$ m et $CC' = 1$ m.

La pyramide de Gizeh est à base carrée donc $AH = \dfrac{1}{2}AD = 116$ m. On en déduit $BH = AH + AB = 189$ m.

(CC') et (SH) sont perpendiculaires à (DB) donc (CC') et (SH) sont parallèles.

Le théorème de Thalès donne alors $\dfrac{BC'}{BS} = \dfrac{BC}{BH} = \dfrac{CC'}{SH}$ donc en particulier $\dfrac{BC}{BH} = \dfrac{CC'}{SH}$ soit $\dfrac{1.3}{189} = \dfrac{1}{SH}$ d'où $SH = \dfrac{189}{1.3}$ donc $\boxed{SH \approx 145 \text{ m}}$.

b. Situation 2

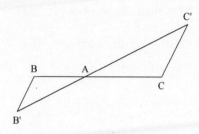

Si $(BB')\parallel(CC')$ alors $\dfrac{AB}{AC}=\dfrac{AB'}{AC'}=\dfrac{BB'}{CC'}.$

Exercice :

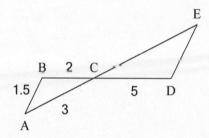

Hypothèses : Les droites (AB) et (DE) sont parallèles. $AB=1.5$ cm, $BC=2$ cm , $AC=3$ cm, $CD=5$ cm. Calculer CE et ED.

Solution :

A, C, E sont alignés, B, C, D sont alignés et les droites (AB) et (DE) sont parallèles donc, d'après le théorème de Thalès, on a $\dfrac{CA}{CE}=\dfrac{CB}{CD}=\dfrac{AB}{ED}.$ Ainsi $\dfrac{3}{CE}=\dfrac{2}{5}$ soit $CE=\dfrac{15}{2}=7.5$ cm et $\dfrac{1.5}{ED}=\dfrac{2}{5}$ soit $ED=3.75$ cm.

Une application :
Prendre une fraction d'un segment à l'aide d'un compas et d'une règle non graduée

Construire les deux tiers d'un segment $[AB]$.

- On trace une demi-droite d'origine A.

- Sur cette demi-droite, on place un point C_1 arbitraire.

- À l'aide d'un compas, on place C_2 puis C_3 sur la demi-droite tels que $AC_1 = C_1C_2 = C_2C_3$.

- On mène par C_2 une parallèle à (BC_3) qui coupe $[AB]$ en M. On peut, par exemple, construire le quatrième sommet D du parallélogramme BC_3C_2D.

- Le théorème de Thalès donne alors $AM = \dfrac{2}{3}AB$.

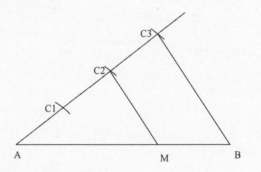

2. La réciproque du théorème de Thalès

Si les points A, B, C sont alignés dans cet ordre, si A, B', C' sont alignés dans cet ordre et si $\dfrac{AB}{AC} = \dfrac{AB'}{AC'}$ alors les droites (BB') et (CC') sont parallèles.

Corollaire

La droite passant par les milieux de deux côtés d'un triangle est parallèle au troisième côté.

Exercice :

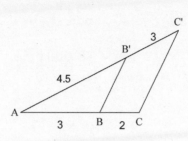

$AB = 3$, $BC = 2$, $AB' = 4.5$, $B'C' = 3$.

Montrer que (BB') est parallèle à (CC').

Solution :

$\dfrac{AB}{AC} = \dfrac{3}{5}$ et $\dfrac{AB'}{AC'} = \dfrac{4.5}{7.5} = \dfrac{9}{15} = \dfrac{3}{5}$ donc $\dfrac{AB}{AC} = \dfrac{AB'}{AC'}$.

De plus A, B, C sont alignés et A', B', C' sont alignés dans le même ordre donc d'après la réciproque du théorème de Thalès, $(BB') \parallel (CC')$.

VIII

La trigonométrie

Les lignes trigonométriques d'un angle sont les rapports des longueurs de deux côtés d'un triangle rectangle.

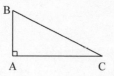

Définitions

Dans le triangle rectangle ABC, le côté **opposé** à l'angle $\widehat{ABC}$ est le côté $[AC]$ et le côté **adjacent** est le côté $[AB]$.

- Le **sinus** de l'angle $\widehat{ABC}$ est le rapport $\dfrac{AC}{BC}$.

  On écrit $\boxed{\sin\widehat{ABC} = \dfrac{AC}{BC}}$.

  Pour mémoire : $\boxed{\sin\widehat{ABC} = \dfrac{\text{côté opposé}}{\text{hypothénuse}}}$.

- Le **cosinus** de l'angle $\widehat{ABC}$ est le rapport $\dfrac{AB}{BC}$. On écrit $\boxed{\cos\widehat{ABC} = \dfrac{AB}{BC}}$.

  Pour mémoire : $\boxed{\cos\widehat{ABC} = \dfrac{\text{côté adjacent}}{\text{hypothénuse}}}$.

- La **tangente** de l'angle $\widehat{ABC}$ est le rapport $\dfrac{AC}{AB}$. On écrit $\boxed{\tan\widehat{ABC} = \dfrac{AC}{AB}}$.

  Pour mémoire : $\boxed{\tan\widehat{ABC} = \dfrac{\text{côté opposé}}{\text{côté adjacent}}}$.

Remarque : on obtient de même $\sin\widehat{ACB} = \dfrac{AB}{BC}$, $\cos\widehat{ACB} = \dfrac{AC}{BC}$ et $\tan\widehat{ACB} = \dfrac{AB}{AC}$.

Exercice :

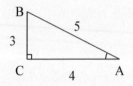

Calculer $\sin\widehat{A}$, $\cos\widehat{A}$ et $\tan\widehat{A}$.

Solution :

Le triangle ABC est rectangle en C.

$\sin\widehat{A} = \dfrac{3}{5} = \boxed{0.6}$, $\cos\widehat{A} = \dfrac{4}{5} = \boxed{0.8}$, $\tan\widehat{A} = \dfrac{3}{4} = \boxed{0.75}$.

Exercice :

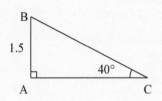

$AB = 1.5$, $\widehat{BCA} = 40°$. Calculer BC et AC.

Solution :

Le triangle ABC est rectangle en A. $\sin\widehat{BCA} = \dfrac{AB}{BC}$ donc $\sin 40° = \dfrac{1.5}{BC}$ d'où $BC = \dfrac{1.5}{\sin 40°}$.

À l'aide de la calculatrice, on obtient $\sin 40° \approx 0.64$. Finalement, $\boxed{BC \approx 2.3}$.

$\tan\widehat{C} = \dfrac{AB}{AC}$, $\tan 40° = \dfrac{1.5}{AC}$ d'où $AC = \dfrac{1.5}{\tan(40°)}$.

À l'aide de la calculatrice, $\tan 40° \approx 0.84$ d'où $\boxed{AC \approx 1.8}$.

Théorèmes

- Le sinus et le cosinus d'un angle aigu sont compris entre 0 et 1.
- Si $\widehat{A}$ et $\widehat{B}$ sont complémentaires alors $\sin\widehat{A} = \cos\widehat{B}$ et $\cos\widehat{A} = \sin\widehat{B}$.

  Autrement dit :

  $$\boxed{\sin\left(90° - \widehat{A}\right) = \cos\widehat{A}} \text{ et } \boxed{\cos\left(90° - \widehat{A}\right) = \sin\widehat{A}}.$$

- $$\boxed{\tan\widehat{A} = \frac{\sin\widehat{A}}{\cos\widehat{A}}}.$$

- $$\boxed{\left(\sin\widehat{A}\right)^2 + \left(\cos\widehat{A}\right)^2 = 1}.$$

  On écrit aussi $\boxed{\sin^2\widehat{A} + \cos^2\widehat{A} = 1}$.

Exercice :

Sachant que $\widehat{A}$ est un angle aigu tel que $\cos\widehat{A} = 0.8$, calculer $\sin\widehat{A}$.

Solution :

On sait que $\cos^2\widehat{A} + \sin^2\widehat{A} = 1$.

On remplace $\cos\widehat{A}$ par 0.8 donc $0.8^2 + \sin^2\widehat{A} = 1$. On obtient alors $\sin^2\widehat{A} = 1 - 0.64 = 0.36$.

On en déduit que $\sin\widehat{A} = \sqrt{0.36}$ soit $\boxed{\sin\widehat{A} = 0.6}$.

Les lignes trigonométriques d'angles particuliers

	0°	30°	45°	60°	90°
Sinus	0	$\frac{1}{2}$	$\frac{\sqrt{2}}{2}$	$\frac{\sqrt{3}}{2}$	1
Cosinus	1	$\frac{\sqrt{3}}{2}$	$\frac{\sqrt{2}}{2}$	$\frac{1}{2}$	0
Tangente	0	$\frac{\sqrt{3}}{3}$	1	$\sqrt{3}$	Non défini

Remarque : 30° et 60° sont deux angles complémentaires donc on retrouve les relations $\cos 30° = \sin 60°$ et $\sin 30° = \cos 60°$.

IX

Les transformations

1. Les symétries centrales

Définition

On dit que M' est l'image de M par la **symétrie centrale** de centre O lorsque O est le milieu de $\left[MM'\right]$.

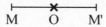

Propriétés

Une symétrie centrale :
- Conserve les distances, les angles, les milieux, les aires, l'alignement.
- Transforme une droite en une droite parallèle, un segment en un segment.
- Conserve le parallélisme et l'orthogonalité.

Définition

Une figure admet O comme **centre de symétrie** lorsqu'elle est invariante par la symétrie centrale de centre O.

Exemples :
- Un parallélogramme admet son centre comme centre de symétrie.
- Un cercle admet son centre comme centre de symétrie.
- Une droite admet une infinité de centres de symétrie.
- Un segment admet son milieu comme centre de symétrie.

2. Les symétries axiales

Définition

On dit que M' est l'image de M par la ***symétrie axiale*** d'axe (D) lorsque (D) est la médiatrice de $[MM']$. Si M est sur la droite (D) alors M' égale M.

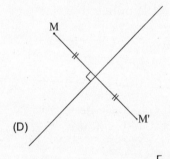

(D) est la médiatrice du segment $[MM']$.

Propriétés

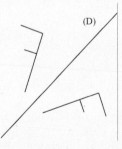

Une symétrie axiale :
- Conserve les distances, les angles, les milieux, les aires, l'alignement.
- Transforme une droite en une droite, un segment en un segment.
- Conserve le parallélisme et l'orthogonalité.

Définition

Une figure admet (D) comme **axe *de symétrie*** lorsqu'elle est invariante par la symétrie axiale d'axe (D).

Exemples :

- Un rectangle admet les médiatrices de ses côtés comme axe de symétrie.
- Un cercle admet une infinité d'axes de symétrie (toute droite passant par le centre du cercle).
- Une droite admet une infinité d'axes de symétrie (toute droite qui lui est perpendiculaire et elle-même).
- Un segment admet sa médiatrice comme axe de symétrie et la droite qui le supporte.

3. Les rotations

Définition

Une **rotation** est définie par un point O appelé centre de la rotation, un angle θ appelé angle de la rotation et un sens de rotation. Par convention, en mathématiques, le sens positif est le sens inverse des aiguilles d'une montre.

On dit que M' est l'image de M par la rotation de centre O, d'angle θ et de sens positif lorsque : $OM = OM'$ et $\widehat{MOM'} = \theta$.

Exemple :

M' est l'image de M par la rotation de centre O, d'angle $60°$ et de sens positif.

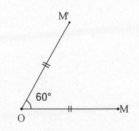

$$OM = OM' \text{ et } \widehat{MOM'} = 60°$$

Propriétés

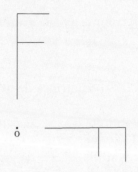

Une rotation :
* Conserve les distances, les angles, les milieux, les aires, l'alignement.
* Transforme une droite en une droite, un segment en un segment.
* Conserve le parallélisme et l'orthogonalité.

Remarques :
* Si l'angle de la rotation est 180° alors la rotation de centre *O* est la symétrie centrale de centre *O*.
* Si l'angle de la rotation est 90° alors la rotation de centre *O* s'appelle un quart de tour de centre *O*.

4. Les translations

Définition

On dit que *M′* est l'image de *M* par la ***translation*** de vecteur $\overrightarrow{AB}$ lorsque $\overrightarrow{MM'} = \overrightarrow{AB}$. Autrement dit *MM′BA* est un parallélogramme.

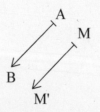

Propriétés

Une translation :

- Conserve les distances, les angles, les milieux, les aires, l'alignement.
- Transforme une droite en une droite parallèle, un segment en un segment.
- Conserve le parallélisme et l'orthogonalité.

Exercice :

ABCD est un parallélogramme et E est l'image de C par la translation de vecteur $\overrightarrow{AB}$. Démontrer que C est le milieu de $[ED]$.

Solution :

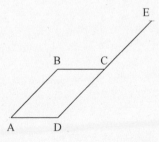

E est l'image de C par la translation de vecteur $\overrightarrow{AB}$ donc $\overrightarrow{CE} = \overrightarrow{AB}$. De plus, $ABCD$ est un parallélogramme donc $\overrightarrow{AB} = \overrightarrow{DC}$. On en déduit que $\overrightarrow{CE} = \overrightarrow{DC}$ et donc que C est le milieu de $[DE]$.

X

La géométrie analytique

1. Repère d'une droite

Définition

Une **droite graduée** est une droite sur laquelle on a choisi un point O appelé origine, un point I et un sens de parcours sur la droite.

(O,I) est un **repère** de la droite, O a pour **abscisse** 0 et I a pour abscisse 1.

Chaque point de la droite est alors repéré par un nombre et inversement à chaque nombre correspond un point de la droite.

Exemple :

A a pour abscisse -2.5, B a pour abscisse 3.

Exercice :

1. Placer les points A, B et C d'abscisses respectives, dans le repère (O,I), -2, 2 et -1.

2. Lire les abscisses des points A, B, C, O et I dans le repère (I,C).

Solution :

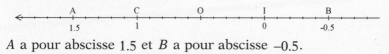

Dans le repère (I,C), I a pour abscisse 0 et C a pour abscisse 1. Le sens positif est de I vers C.

A a pour abscisse 1.5 et B a pour abscisse -0.5.

---

2. Repère d'un plan

Définition

Deux droites graduées sécantes déterminent un repère d'un plan (O,I,J).

La droite (OI) est appelée : **axe des abscisses**.

La droite (OJ) est appelée : **axe des ordonnées**.

Chaque point M du plan est repéré par un couple (x,y) de **coordonnées** : x est l'**abscisse** et y est l'**ordonnée**.

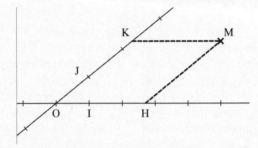

La parallèle à (OJ) passant par M coupe l'axe des abscisses en H. L'abscisse de M est l'abscisse de H sur la droite (OI).

La parallèle à (OI) passant par M coupe l'axe des ordonnées en K. L'ordonnée de M est l'abscisse de K sur la droite (OJ).

Tout point du plan se situe sur l'un des axes ou à l'intérieur de l'un des quatre quadrants.

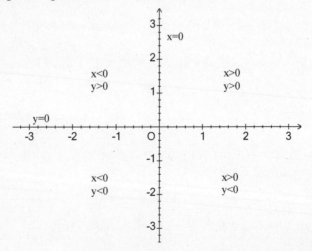

Définitions

- (O,I,J) est un **repère orthogonal** lorsque $(OI) \perp (OJ)$.

- (O,I,J) est un **repère orthonormal** ou **orthonormé** lorsque $(OI) \perp (OJ)$ et $OI = OJ = 1$.

Exemple :

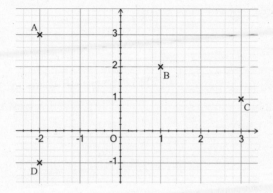

A a pour coordonnées $(-2,3)$, B a pour coordonnées $(1,2)$, C a pour coordonnées $(3,1)$ et D a pour coordonnées $(-2,-1)$.

Exercice :

Soit $ABCD$ un parallélogramme.

Déterminer les coordonnées des quatre sommets dans le repère (A,D,B).

Déterminer les coordonnées des quatre sommets dans le repère (D,A,C).

Solution :

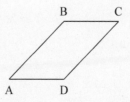

Points	Coordonnées dans le repère (A,D,B)	Coordonnées dans le repère (D,A,C)
A	$(0,0)$	$(1,0)$
B	$(0,1)$	$(1,1)$
C	$(1,1)$	$(0,1)$
D	$(1,0)$	$(0,0)$

Théorème

Soit (O,I,J) un repère orthonormal, A et B deux points du plan de coordonnées respectives (x_A, y_A) et (x_B, y_B). La **distance** AB est donnée par la formule :

$$\boxed{AB = \sqrt{\left(x_B - x_A\right)^2 + \left(y_B - y_A\right)^2}}.$$

Exemple :

$A(-1,1)$, $B(1,-1)$ et $C(3,1)$.
Calculons les distances AB, AC et BC.

$$AB = \sqrt{\left(1 - (-1)\right)^2 + \left(-1 - 1\right)^2} = \sqrt{8} \text{ donc } AB^2 = 8.$$

$$AC = \sqrt{\left(3 - (-1)\right)^2 + \left(1 - 1\right)^2} = 4 \text{ donc } AC^2 = 16.$$

$$BC = \sqrt{\left(3 - 1\right)^2 + \left(1 - (-1)\right)^2} = \sqrt{8} \text{ donc } BC^2 = 8.$$

$AB = BC$ donc le triangle ABC est isocèle en B. De plus, $AC^2 = AB^2 + AC^2$ donc ABC est rectangle en B. Finalement, ABC est un triangle rectangle et isocèle en B.

Théorème

Soit (O,I,J) un repère du plan, A et B les points de coordonnées respectives (x_A, y_A) et (x_B, y_B). Le point I milieu de $[AB]$ a pour coordonnées :

$$\boxed{\left(\frac{x_A + x_B}{2}, \frac{y_A + y_B}{2}\right)}.$$

Exercice :

$A(1,1)$, $B(2,3)$, $C(4,1)$ et $D(3,-1)$. Montrer que *ABCD* est un parallélogramme.

Solution :

Déterminons les coordonnées du milieu I de $[AC]$.

$$x_I = \frac{x_A + x_C}{2} = \frac{1+4}{2} = \frac{5}{2}, \ y_I = \frac{y_A + y_C}{2} = \frac{1+1}{2} = 1.$$

Déterminons les coordonnées du milieu de $[BD]$.

$$\frac{x_B + x_D}{2} = \frac{2+3}{2} = \frac{5}{2}, \ \frac{y_B + y_D}{2} = \frac{3-1}{2} = 1.$$

On retrouve les coordonnées de I. Les diagonales de *ABCD* se coupent en leur milieu donc *ABCD* est un parallélogramme.

3. Les équations de droites

On munit le plan d'un repère (O, I, J). Déterminer une équation d'une courbe consiste à trouver une relation entre les coordonnées x et y d'un point M pour que celui-ci appartienne à cette courbe.

Théorème

- L'ensemble des points M de coordonnées (x,y) tels que $\boxed{x = p}$ où p est un nombre fixé est une droite parallèle à l'axe des ordonnées.

- L'ensemble des points M de coordonnées (x,y) tels que $\boxed{y = ax + b}$ où a et b sont des nombres fixés est une droite.

- Inversement, toute droite du plan a une équation du type $x = p$ ou $y = ax + b$.

Exemples :

- La droite passant par les points $A(2,1)$ et $B(2,-3)$ a pour équation $x = 2$.

- La droite passant par les points $C(2,0)$ et $D(-1,-6)$ n'est pas parallèle à l'axe des ordonnées $(x_D \neq x_C)$ donc a une équation du type $y = ax + b$.

Les coordonnées de C et D vérifient l'équation donc
$$\begin{cases} 0 = a \times 2 + b \\ -6 = a \times (-1) + b. \end{cases}$$

Résolvons le système : $\begin{cases} 2a + b = 0 \\ -a + b = -6. \end{cases}$

$$\begin{cases} 2a + b = 0 \\ -a + b = -6 \end{cases} \Leftrightarrow \begin{cases} b = -2a \\ -a - 2a = -6 \end{cases} \Leftrightarrow \begin{cases} a = 2 \\ b = -4. \end{cases}$$

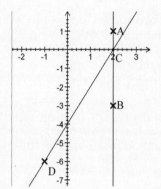

Une équation de la droite (CD) est $\boxed{y = 2x - 4}$.

Exercice :

On considère les droites $(D1)$, $(D2)$ et $(D3)$ d'équations respectives $y = 1$, $x = -2$ et $y = -x + 3$. Donner deux points de chacune des droites. Puis tracer ces droites.

Solution :

- $A(2,1)$ et $B(5,1)$ appartiennent à la droite $(D1)$.

- $C(-2,-3)$ et $D(-2,1)$ appartiennent à la droite $(D2)$.

- $E(3,0)$ et $F(0,3)$ appartiennent à la droite $(D3)$.

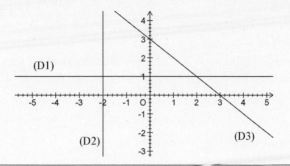

Exercice :

Soit $A(3,2)$, $B(3,5)$, $C(0,3)$ et $D(-3,3)$.

Déterminer une équation des droites (AB), (AC) et (CD).

Solution :

- A et B ont la même abscisse, 3, donc une équation de la droite (AB) est $\boxed{x = 3}$.

- Une équation de la droite (AC) est du type $y = ax + b$.

  Les coordonnées de A et C vérifient cette équation donc

  $$\begin{cases} 2 = 3a + b \\ 3 = b \end{cases} \text{ soit } \begin{cases} a = -\dfrac{1}{3} \\ b = 3 \end{cases}.$$

  Une équation de la droite (AC) est donc :

  $$\boxed{y = -\frac{1}{3}x + 3}.$$

- C et D ont la même ordonnée, 3, une équation de la droite (CD) est donc $\boxed{y = 3}$.

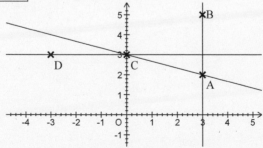

Définition

Si la droite (D) a une équation de la forme $y = ax + b$ alors a s'appelle **le coefficient directeur** ou la pente de la droite (D).

• Si $a = 0$ alors la droite est « horizontale ».

• Si $a > 0$ alors la droite « monte ».

• Si $a < 0$ alors la droite « descend ».

Une illusion

On considère le carré suivant :

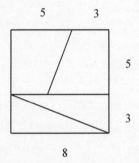

L'aire du carré est $8 \times 8 = 64$.

Il est constitué de deux trapèzes identiques et de deux triangles rectangles identiques que l'on réorganise de façon à obtenir le rectangle suivant :

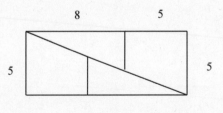

L'aire du rectangle est $5 \times 13 = 65$.

On ne retrouve pas 64. Il y a donc un problème ! Que s'est-il passé ?

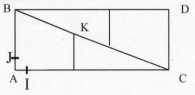

Plaçons-nous dans le repère (A,I,J). Les points B, K et C ont pour coordonnées respectives $(0,5)$, $(5,3)$ et $(13,0)$. Une équation de la droite (BC) est du type $y = ax + b$. Les coordonnées de B et C véri-

fient cette équation donc $\begin{cases} 5 = b \\ 0 = 13a + b \end{cases}$ soit $\begin{cases} a = -\dfrac{5}{13} \\ b = 5 \end{cases}$. Une équation de

la droite (BC) est $\boxed{y = -\dfrac{5}{13}x + 5}$. Les coordonnées de K vérifient-elles cette équation ?

$-\dfrac{5}{13} \times x_K + 5 = -\dfrac{5}{13} \times 5 + 5 = \dfrac{40}{13}$ et $y_K \neq \dfrac{40}{13}$ donc le point K n'appartient pas à la droite (BC).

Conclusion : les points B, K et C ne sont pas alignés.

XI

Les vecteurs

1. Les généralités

Définition

On appelle **vecteur** $\overrightarrow{AB}$ l'ensemble des couples (C,D) tels que $ABCD$ soit un parallélogramme.

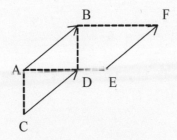

(A,B), (C,D) et (E,F) sont des représentants du même vecteur $\vec{u}$.

$$\boxed{\vec{u} = \overrightarrow{AB} = \overrightarrow{CD} = \overrightarrow{EF}}$$

On dit que le vecteur $\overrightarrow{AB}$ a pour **origine** A et pour **extrémité** B.

Cas particulier : on appelle vecteur nul, noté $\vec{0}$, l'ensemble des couples du type (A,A).

Un vecteur non nul est défini par :

- Une **direction** (un ensemble de droites parallèles : (AB), (CD), (EF),...).

- Une longueur (la longueur des segments $[AB]$, $[CD]$, $[EF]$,...) ; on l'appelle **norme** du vecteur.

- Un **sens** (de A vers B, de C vers D, de E vers F,...).

173

2. La somme de deux vecteurs

Définition

Étant donné trois points A, B et C, on a :

$$\boxed{\overrightarrow{AB} + \overrightarrow{BC} = \overrightarrow{AC}}.$$

$$\boxed{\vec{a} + \vec{b} = \vec{c}} \text{ ou } \boxed{\overrightarrow{AB} + \overrightarrow{BC} = \overrightarrow{AC}}.$$

Cette égalité s'appelle **la relation de Chasles**.

Michel Chasles est un mathématicien suisse du XIXe siècle.

Exercice :

Soit $ABCD$ un parallélogramme. Calculer $\overrightarrow{AB} + \overrightarrow{AD}$.

Solution :

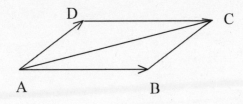

$ABCD$ est un parallélogramme donc $\overrightarrow{AD} = \overrightarrow{BC}$ d'où $\overrightarrow{AB} + \overrightarrow{AD} = \overrightarrow{AB} + \overrightarrow{BC}$. En appliquant la relation de Chasles, on obtient $\boxed{\overrightarrow{AB} + \overrightarrow{AD} = \overrightarrow{AC}}$.

XII

La géométrie dans l'espace

1. Les polyèdres

Définition

Un **polyèdre** est un solide limité par des portions de plan polygonales, appelées faces. Les segments délimitant les faces sont appelés les arêtes du polyèdre.

Remarques :

• Une arête est un segment ayant pour extrémités deux sommets adjacents d'un polyèdre.

• Un polyèdre possède au moins 4 faces, 4 sommets et 6 arêtes. Le plus petit polyèdre est le tétraèdre.

Exemples :

Nom du polyèdre	Nombre de faces
Tétraèdre	4
Hexaèdre	6
Octaèdre	8
Dodécaèdre	12
Icosaèdre	20

Définition

Un polyèdre est dit convexe lorsqu'il est situé du même côté du plan déterminé par chaque face.

2. Les prismes

Définition

Le **prisme** est un polyèdre tel que les faces latérales sont des parallélogrammes et les deux bases des polygones isométriques situés dans des plans parallèles.

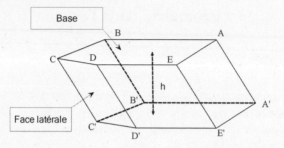

Définitions

- $[AA']$, $[BB']$, $[CC']$, $[DD']$,... sont appelés les **arêtes latérales**.

- La **hauteur** h d'un prisme est la distance entre les deux plans de base.

Nom de la base	Nom du prisme
Triangle	Prisme triangulaire
Quadrilatère	Prisme quadrangulaire
Pentagone	Prisme pentagonal
Hexagone	Prisme hexagonal

Définition

Un prisme est **droit** lorsque ses arêtes latérales sont perpendiculaires aux plans des bases.

Les faces latérales sont alors des rectangles.

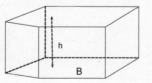

Définition

Un **prisme régulier** est un prisme droit dont la base est un polygone régulier.

Définition

• Le **parallélépipède** est un prisme dont les bases sont des parallélogrammes.

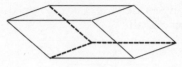

Remarques :

• Un parallélépipède est un prisme quadrangulaire particulier.

• Un parallélépipède est un hexaèdre dont les six faces sont des parallélogrammes.

Définition

Le **parallélépipède rectangle** est un prisme droit dont les bases sont des rectangles.

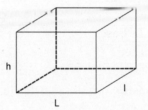

On appelle dimensions d'un parallélépipède rectangle les longueurs de trois arêtes contiguës.

Définition

Le **cube** est un parallélépipède rectangle dont la base est un carré et la hauteur égale un côté du carré.

Exercice :

Calculer la grande diagonale d'un cube de côté c.

Solution :

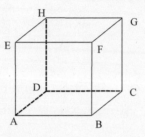

ABC est un triangle rectangle en B donc d'après le théorème de Pythagore, $AC^2 = AB^2 + BC^2$ soit $AC^2 = 2a^2$.

ACG est un triangle rectangle en C donc d'après le théorème de Pythagore, $AG^2 = AC^2 + GC^2$ soit $AG^2 = 2a^2 + a^2 = 3a^2$.

On obtient $\boxed{AG = a\sqrt{3}}$.

Volume d'un prisme

Le **volume d'un prisme** a pour mesure le produit de l'aire de la base par la hauteur.

Exercice :

Calculer le volume d'un prisme de hauteur 5 cm dont la base est un triangle rectangle dont les côtés de l'angle droit mesurent 3 cm et 2 cm.

Solution :

L'aire du triangle rectangle est $S = \dfrac{3 \times 2}{2} = 3$ cm^2 donc le volume du prisme est $V = 5 \times 3 = \boxed{15 \text{ cm}^3}$.

Théorème

Le **volume d'un parallélépipède** rectangle a pour mesure le produit des trois dimensions.

Exercice :

Calculer le volume d'un parallélépipède rectangle de dimensions 6 cm, 8 cm et 10 cm.

Solution :

Le volume du parallélépipède rectangle est :

$$V = 6 \times 8 \times 10 = \boxed{480 \text{ cm}^3}.$$

Théorème

Le **volume d'un cube** a pour mesure le cube de son côté.

Exercice :

Calculer le volume d'un cube de côté 8 cm.

Solution :

Le volume du cube est : $V = 8^3 = \boxed{512 \text{ cm}^3}$.

---

3. Les pyramides

Définition

La **pyramide** est un solide dont la base est un polygone et dont les faces latérales sont des triangles ayant pour bases les côtés de ce polygone, et pour sommet commun un point extérieur au plan du polygone.

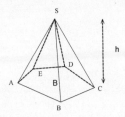

Définitions

- Le polygone *ABCDE* s'appelle la **base** de la pyramide.

- Le point *S* est le **sommet** de la pyramide.

- Les arêtes qui joignent le sommet de la pyramide aux sommets de la base s'appellent les **arêtes latérales**.
- La hauteur h de la pyramide est la distance de son sommet au plan de la base.

Nom de la base	Nom de la pyramide
Triangle	Pyramide triangulaire
Quadrilatère	Pyramide quadrangulaire
Pentagone	Pyramide pentagonale
Hexagone	Pyramide hexagonale

Remarque : Une pyramide triangulaire s'appelle aussi un **tétraèdre**.

Définition

- Une pyramide est **régulière** lorsque la base est un polygone régulier de centre O et que O est le projeté orthogonal du sommet de la pyramide sur le plan de base.

- La hauteur d'une des faces latérales (triangles isocèles) s'appelle l'**apothème**.

Théorème

Le **volume d'une pyramide** égale le tiers du produit de l'aire de sa base par la hauteur.

Exercice :

Calculer le volume d'une pyramide régulière quadrangulaire dont les côtés de la base mesurent 6 cm et de hauteur 5 cm.

Solution :

La base est un carré dont l'aire est $S = 6^2 = 36$ cm^2 donc le volume

de la pyramide est $V = \dfrac{1}{3} \times 5 \times 36 = \boxed{60 \text{ cm}^3}$.

Exercice :

Calculer le volume d'un tétraèdre régulier de côté a.

Solution :

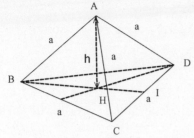

BCD est un triangle équilatéral de côté a.

Sa hauteur est $a\dfrac{\sqrt{3}}{2}$ donc l'aire du triangle équilatéral est

$$S = \frac{a \times a \dfrac{\sqrt{3}}{2}}{2} = \boxed{a^2 \frac{\sqrt{3}}{4}}.$$

(BI) est une médiane donc $BH = \dfrac{2}{3} BI$ d'où $BH = \dfrac{2}{3} \times a \dfrac{\sqrt{3}}{2} = a \dfrac{\sqrt{3}}{3}$.

Le triangle *ABH* est rectangle en *H* donc d'après le théorème de Pythagore, $AB^2 = AH^2 + BH^2$ donc $AH^2 = a^2 - \dfrac{a^2}{3} = \dfrac{2a^2}{3}$. Ainsi,

$AH = \boxed{a\sqrt{\dfrac{2}{3}}}.$

On peut déterminer le volume $V = \dfrac{\dfrac{a^2\sqrt{3}}{4} \times a \dfrac{\sqrt{2}}{\sqrt{3}}}{3}$ soit $\boxed{V = \dfrac{a^3\sqrt{2}}{12}}.$

4. Les cylindres de révolution

Définition

Le **cylindre de révolution** est un solide engendré par la révolution d'un rectangle tournant autour d'un de ses côtés.

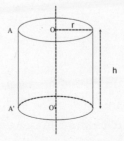

Définitions

- Les **bases** du cylindre sont deux cercles de même rayon r.
- La **hauteur** du cylindre est $h = OO'$.
- $[AA']$ est une **génératrice** du cylindre.

Le volume d'un cylindre

Le **volume d'un cylindre** de révolution égale le produit de l'aire de sa base par la hauteur.

$$V = \pi r^2 h$$

Exercice :

Calculer le volume d'un cylindre de révolution de rayon 2 cm et de hauteur 5 cm.

Solution :

Le volume du cylindre est :

$$V = \pi \times 2^2 \times 5 \approx \boxed{62.8 \text{ cm}^3}.$$

5. Les cônes de révolution

Définition

Le **cône de révolution** est un solide engendré par la révolution d'un triangle rectangle tournant autour d'un des côtés de l'angle droit.

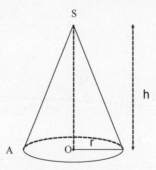

Définitions

- La **base** du cône est un disque de rayon r.
- La **hauteur** du cylindre est $h = SO$.
- $[SA]$ est une **génératrice** du cylindre.

Le volume d'un cône

Le **volume d'un cône** de révolution égale le tiers du produit de l'aire de sa base par la hauteur.

$$V = \frac{\pi r^2 h}{3}.$$

Exercice :

Calculer le volume d'un cône de révolution de rayon 3 cm et de hauteur 5 cm.

Solution :

Le volume du cône est $V = \dfrac{\pi \times 3^2 \times 5}{3} \approx \boxed{4.71 \text{ cm}^3}$.

---

6. La sphère

Définition

La sphère (boule) de centre O et de rayon r est l'ensemble des points de l'espace situés à la distance r du point O.

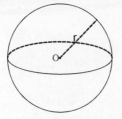

Théorème

Le volume d'une sphère égale les quatre tiers du produit de π par le cube du rayon.

$$V = \frac{4\pi r^3}{3}$$

L'aire de la sphère égale $4\pi r^2$.

Exercice :

Calculer le volume d'une sphère de rayon 3 cm.

Solution :

Le volume de la sphère est $V = \dfrac{4\pi \times 3^3}{3} \approx \boxed{113 \text{ cm}^3}$.

---

7. Les solides de Platon

Définition

Un **polyèdre régulier** est un polyèdre dont toutes les faces sont des polygones réguliers et les espaces angulaires compris entre les faces issues d'un même sommet sont égaux.

Il n'existe que cinq polyèdres réguliers que l'on appelle **les solides de Platon**.

Platon (427 av. J.-C. – 348 av. J.-C.)

Le tétraèdre régulier

Le tétraèdre régulier est un polyèdre régulier dont les faces sont constituées de 4 triangles équilatéraux.

Il possède quatre sommets et six arêtes.

Le cube

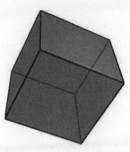

Le cube est un polyèdre régulier dont les faces sont constituées de 6 carrés.

Il possède huit sommets et douze arêtes.

L'octaèdre

L'octaèdre régulier est un polyèdre régulier dont les faces sont constituées de 8 triangles équilatéraux.

Il possède six sommets et douze arêtes.

Le dodécaèdre

Le dodécaèdre régulier est un polyèdre régulier dont les faces sont constituées de 12 pentagones réguliers.

Il possède vingt sommets et trente arêtes.

L'icosaèdre

L'icosaèdre régulier est un polyèdre régulier dont les faces sont constituées de 20 triangles équilatéraux.

Il possède douze sommets et trente arêtes.

XIII

Compléments sur les mesures

1. Les mesures des longueurs

Noms	Symboles	Valeurs en m
Kilomètre	km	1 000 m
Hectomètre	hm	100 m
Décamètre	dam	10 m
Mètre	m	1 m
Decimètre	dm	0,1 m
Centimètre	cm	0,01 m
Millimètre	mm	0,001 m
Micron	μ	0,000001 m

Autres unités de longueurs

• **L'angström** (symbole $\overset{\circ}{A}$) : $1\overset{\circ}{A} = 10^{-10}$m.

• **L'année-lumière** (symbole a.l.) :

$$1\text{a.l} = 9.461 \times 10^{15}\text{m}.$$

2. Les mesures des surfaces

Noms	Symboles	Valeurs en m^2
Kilomètre carré	km^2	1 000 000 m^2
Hectomètre carré	hm^2	10000 m^2
Décamètre carré	dam^2	100 m^2
Mètre carré	m^2	1 m^2
Décimètre carré	dm^2	0,01 m^2
Centimètre carré	cm^2	0,0001 m^2
Millimètre carré	mm^2	0,000001 m^2

Autres unités de mesures des surfaces

La superficie d'un terrain se mesure avec une unité appelée **are** qui vaut 100 m².

Noms	Symboles	Valeurs en m²
Hectare	ha	10000 m²
Are	a	100 m²
Centiare	ca	1 m²

Exercice :

Un terrain a la forme d'un trapèze de dimensions $B = 250$ m, $b = 100$ m et $h = 50$ m. Calculer sa superficie an ares puis en hectares.

Solution :

L'aire du trapèze est :

$$S = \frac{(B+b)h}{2} = \frac{(250+100) \times 50}{2} = 8750 \text{ m}^2.$$

Finalement, après conversion :

$$\boxed{S = 87.5 \text{ a} = 0.875 \text{ ha}}$$

3. Les mesures des volumes

Noms	Symboles	Valeurs en m³
Mètre cube	m³	1 m³
Décimètre cube	dm³	0,001 m³
Centimètre cube	cm³	0,000001 m³
Millimètre cube	mm³	0,000000001 m³

Autres unités de volume

Mesure d'un volume de bois : **stère** (symbole st) :

$$1 \text{ st} = 1 \text{ m}^3.$$

Mesures d'un volume de liquide

Noms	Symboles	Valeurs en m³
Hectolitre	hl	$0,1$ m³
Décalitre	dal	$0,01$ m³
Litre	l	$0,001$ m³
Décilitre	dl	$0,0001$ m³

$$\boxed{1\,l = 1\,dm^3} \text{ ou } \boxed{1000\,l = 1\,m^3}$$

Exercice :

Combien de litres de fuel une cuve cubique de 3 m peut-elle contenir ?

Solution :

Le volume d'un cube de côté 3 m est $\boxed{V = 27\,m^3}$.

$1\,m^3 = 1000\,l$ donc la cuve peut contenir $\boxed{27000\,l}$.

XIV

Le flocon de Von Koch

Le flocon de Von Koch a été imaginé par le mathématicien alle-
mand *Helge Von Koch* en 1904.

C'est une courbe très particulière. Elle est composée d'une infinité
de segments qui confèrent à la courbe une longueur infinie mais le
flocon délimite une surface d'aire finie.

Construction du flocon

Étape 0

On part d'un triangle équilatéral.

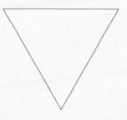

II. LA GÉOMÉTRIE

Étape 1

On divise chaque côté du triangle équilatéral de façon à obtenir la figure suivante.

Étape 2

On itère le procédé. On divise chaque côté du polygone de façon à obtenir la figure suivante.

Étape 3

On divise chaque côté du polygone de façon à obtenir la figure suivante.

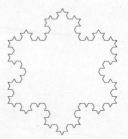

On continue indéfiniment le procédé. On obtient alors une figure fractale dont le périmètre est infini et l'aire est finie mais il est nécessaire d'aller au lycée pour comprendre le calcul...

ALGÈBRE

I. Le calcul algébrique

1. Les ensembles et les sous-ensembles de nombres

Définitions

$\mathbb{N}$ désigne l'ensemble des entiers naturels.

$\mathbb{Z}$ désigne l'ensemble des entiers relatifs.

$\mathbb{Q}$ désigne l'ensemble des nombres rationnels.

$\mathbb{R}$ désigne l'ensemble des nombres réels.

$\mathbb{C}$ désigne l'ensemble des nombres complexes.

$\mathbb{R}^*$ désigne l'ensemble des nombres réels non nuls.

$\mathbb{R}_+$ désigne l'ensemble des nombres réels positifs.

$\mathbb{R}_-$ désigne l'ensemble des nombres réels négatifs.

$\mathbb{R}_+^*$ désigne l'ensemble des nombres réels strictement positifs.

$\mathbb{R}_-^*$ désigne l'ensemble des nombres réels strictement négatifs.

Propriété

$$\boxed{\mathbb{N} \subset \mathbb{Z} \subset \mathbb{Q} \subset \mathbb{R} \subset \mathbb{C}}$$

Définitions

• L'intervalle fermé $[a\,;b]$ est l'ensemble des réels x tels que $a \leq x \leq b$.

• L'intervalle ouvert $]a\,;b[$ est l'ensemble des réels x tels que $a < x < b$.

• L'intervalle $[a\,;b[$ est l'ensemble des réels x tels que $a \leq x < b$.

• L'intervalle $[a\,;+\infty[$ est l'ensemble des réels x tels que $a \leq x$.

• L'intervalle $]-\infty\,;a[$ est l'ensemble des réels x tels que $x < a$.

Remarques : $b - a$ est l'**amplitude** de l'intervalle $\left[a\,;b\right]$.

a et b sont les **extrémités** et $\dfrac{a+b}{2}$ est le **centre** de l'intervalle.

2. Les règles du calcul dans $\mathbb{R}$

Les puissances

Pour tous réels a et b non nuls, pour tous entiers relatifs m et n,

$$a^n \times a^m = a^{n+m} \qquad \left(a^n\right)^m = a^{nm}$$

$$\left(a \times b\right)^n = a^n \times b^n \qquad \left(\dfrac{a}{b}\right)^n = \dfrac{a^n}{b^n}$$

$$\dfrac{a^m}{a^n} = a^{m-n} \qquad\qquad a^{-n} = \dfrac{1}{a^n}$$

Remarque : si $a \neq 0$ alors $a^0 = 1$.

Les fractions

$$\dfrac{a}{c} + \dfrac{b}{c} = \dfrac{a+b}{c} \qquad (c \neq 0)$$

$$\dfrac{a}{c} - \dfrac{b}{c} = \dfrac{a-b}{c} \qquad (c \neq 0)$$

$$\dfrac{a}{b} \times \dfrac{c}{d} = \dfrac{ac}{bd} \qquad (b \neq 0 \text{ et } d \neq 0)$$

$$a \times \dfrac{c}{d} = \dfrac{ac}{d} \qquad (d \neq 0)$$

$$\dfrac{a}{b} : \dfrac{c}{d} = \dfrac{ad}{bc} \qquad \left(b \neq 0, c \neq 0 \text{ et } d \neq 0\right)$$

Simplifications de fractions

Pour tous entiers relatifs a, b et k $(k \neq 0$ et $b \neq 0)$, $\boxed{\dfrac{ka}{kb} = \dfrac{a}{b}}$.

Fraction irréductible

La fraction $\dfrac{a}{b}$ est irréductible si, et seulement si, $\text{PGCD}(a,b) = 1$.

Les identités remarquables

Pour tous réels a, b et c,

$$(a+b)^2 = a^2 + 2ab + b^2$$

$$(a-b)^2 = a^2 - 2ab + b^2$$

$$(a+b)(a-b) = a^2 - b^2$$

$$(a+b)^3 = a^3 + 3a^2b + 3ab^2 + b^3$$

$$(a-b)^3 = a^3 - 3a^2b + 3ab^2 - b^3$$

$$a^3 + b^3 = (a+b)(a^2 - ab + b^2)$$

$$a^3 - b^3 = (a-b)(a^2 + ab + b^2)$$

$$(a+b+c)^2 = a^2 + b^2 + c^2 + 2ab + 2ac + 2bc$$

Les racines carrées

Soit a un nombre réel positif. $\sqrt{a}$ est le réel positif dont le carré est a.

Propriétés

- Pour tout réel a, $\boxed{\sqrt{a^2} = |a|}$.

- Pour tout réel positif a, $\boxed{(\sqrt{a})^2 = a}$.

- Pour tous les réels positifs a et b, $\boxed{\begin{array}{l} \sqrt{a} \times \sqrt{b} = \sqrt{ab} \\[4pt] \dfrac{\sqrt{a}}{\sqrt{b}} = \sqrt{\dfrac{a}{b}} \quad (b \neq 0) \\[4pt] (\sqrt{a})^n = \sqrt{a^n} \quad (n \in \mathbb{N}^*) \end{array}}$.

Remarque : pour tous réels a et b strictement positifs, on a : $\sqrt{a+b} \neq \sqrt{a} + \sqrt{b}$.

3. Ordre et valeur absolue

Propriétés des inégalités
Pour tous réels a, b, c et d,
- Si $a \leq b$ alors $a + c \leq b + c$.
- Si $a \leq b$ et $c > 0$ alors $a \times c \leq b \times c$.
- Si $a \leq b$ et $c \leq 0$ alors $a \times c \geq b \times c$.
- Si $a \leq b$ et $c \leq d$ alors $a + c \leq b + d$.
- Si $0 \leq a \leq b$ et $0 \leq c \leq d$ alors $a \times c \leq b \times d$.
- Si $0 < a < b$ alors $0 < \dfrac{1}{b} < \dfrac{1}{a}$.
- Si $a < b < 0$ alors $\dfrac{1}{b} < \dfrac{1}{a} < 0$.
- Si $0 \leq a \leq 1$ alors $0 \leq a^3 \leq a^2 \leq a \leq \sqrt{a} \leq 1$.
- Si $a \geq 1$ alors $1 \leq \sqrt{a} \leq a \leq a^2 \leq a^3$.

Valeur absolue
La valeur absolue d'un réel a égale le plus grand des deux nombres a et $-a$. Autrement dit, $\boxed{|a| = \mathrm{Max}\left\{-a\,;a\right\}}$.

Propriétés

$$\boxed{|a| = \begin{cases} a \text{ si } a \geq 0 \\ -a \text{ si } a < 0 \end{cases}}$$

$$\boxed{\begin{aligned} |ab| &= |a| \times |b| \\ \left|\frac{a}{b}\right| &= \frac{|a|}{|b|} \ (b \neq 0) \end{aligned}}$$

Définition
La distance entre deux réels a et b est la valeur absolue de la différence des deux nombres. On écrit $\boxed{d(a,b) = |a - b|}$.

Inégalité et valeur absolue

$$\boxed{\big||a| - |b|\big| \leq |a + b| \leq |a| + |b|}$$

Soit a un réel positif.
$$|x| = a \Leftrightarrow (x = a \text{ ou } x = -a)$$
$$|x| \leq a \Leftrightarrow -a \leq x \leq a$$
$$|x| \geq a \Leftrightarrow (x \geq a \text{ ou } x \leq -a)$$

Valeur approchée

On dit que b est une **valeur approchée** de a à ε près $(\varepsilon > 0)$ lorsque $b - \varepsilon \leq a \leq b + \varepsilon$ ou $|a - b| \leq \varepsilon$.

4. Les équations et les inéquations

Les équations du premier degré à une inconnue

Résolution de l'équation $ax + b = 0$:

- Si $a \neq 0$ alors l'équation admet une unique solution $x = -\dfrac{b}{a}$.

- Si $a = 0$ alors :
    - Si $b \neq 0$, l'équation n'a pas de solution
    - Si $b = 0$, l'équation admet une infinité de solutions (tout nombre réel).

Les équations du second degré à une inconnue

Résolution, dans $\mathbb{R}$, de l'équation $ax^2 + bx + c = 0$ $(a \neq 0)$:

On pose $\Delta = b^2 - 4ac$; Δ est le **discriminant** du trinôme.

- Si $\Delta > 0$ alors l'équation admet deux solutions distinctes :

$$\boxed{x' = \frac{-b + \sqrt{\Delta}}{2a}} \text{ et } \boxed{x'' = \frac{-b - \sqrt{\Delta}}{2a}}.$$

- Si $\Delta = 0$ alors l'équation admet une unique solution :

$$\boxed{x' = x'' = \frac{-b}{2a}}.$$

- Si $\Delta < 0$ alors l'équation n'a pas de solution dans $\mathbb{R}$.

Remarque : Pour $\Delta \geq 0$, on a : $x' + x'' = -\dfrac{b}{a}$ et $x'x'' = \dfrac{c}{a}$.

La somme des racines du trinôme égale $-\dfrac{b}{a}$ et le produit des racines égale $\dfrac{c}{a}$.

Signe du binôme du premier degré

$$P(x) = ax + b \ (a \neq 0) :$$

$P(x)$ a le signe de a lorsque x est strictement supérieur à $-\dfrac{b}{a}$

et $P(x)$ a le signe de $-a$ lorsque x est strictement inférieur

à $-\dfrac{b}{a}$.

Signe du trinôme du second degré

$$P(x) = ax^2 + bx + c \ (a \neq 0). \text{ On pose } \Delta = b^2 - 4ac.$$

• Si $\Delta > 0$ alors $P(x)$ a le signe de a lorsque x prend des valeurs à l'extérieur des racines du trinôme et il a le signe de $-a$ lorsque x prend des valeurs comprises entre les deux racines.

• Si $\Delta = 0$ alors $P(x)$ a le signe de a lorsque x est différent de la racine $-\dfrac{b}{2a}$.

• Si $\Delta < 0$ alors $P(x)$ a le signe de a pour tout réel x.

II. La trigonométrie

Théorème

Pour passer des radians aux degrés, on multiplie par $\dfrac{180}{\pi}$.

Pour passer des degrés aux radians, on multiplie par $\dfrac{\pi}{180}$.

Longueur d'un arc

Soit un cercle de rayon r. Un angle au centre de mesure θ (en radians) intercepte un arc de cercle de longueur θr.

Aire d'un secteur circulaire

Soit un cercle de rayon r. Un angle au centre de mesure θ (en radians) détermine un secteur circulaire d'aire $\dfrac{1}{2}\theta r^2$.

Les fonctions circulaires

Les fonctions sinus et cosinus, définies sur $\mathbb{R}$, sont périodiques de période 2π.

$$\cos(x + 2\pi) = \cos(x)$$

$$\sin(x + 2\pi) = \sin(x)$$

La fonction tangente, définie sur $\mathbb{R} - \left\{\dfrac{\pi}{2} + k\pi ; k \in \mathbb{Z}\right\}$, est périodique de période π.

$$\tan(x + \pi) = \tan(x)$$.

Les fonctions sinus et cosinus sont minorées par -1 et majorées par 1.

$$-1 \leq \sin(x) \leq 1$$

$$-1 \leq \cos(x) \leq 1$$

Relation fondamentale : $\boxed{\cos^2(x) + \sin^2(x) = 1}$.

Les fonctions sinus et tangente sont impaires.

$$\sin(-x) = -\sin(x)$$

$$\tan(-x) = -\tan(x)$$

La fonction cosinus est une fonction paire.

$$\cos(-x) = \cos(x)$$

Valeurs remarquables

x	0	$\dfrac{\pi}{6}$	$\dfrac{\pi}{4}$	$\dfrac{\pi}{3}$	$\dfrac{\pi}{2}$	π
$\cos(x)$	1	$\dfrac{\sqrt{3}}{2}$	$\dfrac{\sqrt{2}}{2}$	$\dfrac{1}{2}$	0	-1
$\sin(x)$	0	$\dfrac{1}{2}$	$\dfrac{\sqrt{2}}{2}$	$\dfrac{\sqrt{3}}{2}$	1	0
$\tan(x)$	0	$\dfrac{\sqrt{3}}{3}$	1	$\sqrt{3}$	Non définie	0

III. Formulaire de mathématiques

Formules

$$\cos(\pi - x) = -\cos(x) \qquad \sin(\pi - x) = \sin(x)$$
$$\cos(\pi + x) = -\cos(x) \qquad \sin(\pi + x) = -\sin(x)$$
$$\cos\left(\frac{\pi}{2} - x\right) = \sin(x) \qquad \sin\left(\frac{\pi}{2} - x\right) = \cos(x)$$
$$\cos\left(\frac{\pi}{2} + x\right) = -\sin(x) \qquad \sin\left(\frac{\pi}{2} + x\right) = \cos(x)$$
$$\tan(\pi - x) = -\tan(x)$$

Formules d'addition

$$\cos(a + b) = \cos(a)\cos(b) - \sin(a)\sin(b)$$
$$\cos(a - b) = \cos(a)\cos(b) + \sin(a)\sin(b)$$
$$\sin(a + b) = \sin(a)\cos(b) + \sin(b)\cos(a)$$
$$\sin(a - b) = \sin(a)\cos(b) - \sin(b)\cos(a)$$

$$\tan(a + b) = \frac{\tan(a) + \tan(b)}{1 - \tan(a)\tan(b)} \;;\; \tan(a - b) = \frac{\tan(a) - \tan(b)}{1 + \tan(a)\tan(b)}$$

Formules de duplication

$$\cos(2x) = \cos^2(x) - \sin^2(x)$$
$$\cos(2x) = 2\cos^2(x) - 1$$
$$\cos(2x) = 1 - 2\sin^2(x)$$
$$\sin(2x) = 2\cos(x)\sin(x)$$
$$\tan(2x) = \frac{2\tan(x)}{1 - \tan^2(x)}$$

Linéarisation

$$\cos^2(x) = \frac{1 + \cos(2x)}{2}$$
$$\sin^2(x) = \frac{1 - \cos(2x)}{2}$$

Les coordonnées polaires

On munit le plan d'un repère orthonormé $\left(O, \vec{i}, \vec{j}\right)$. On appelle **coordonnées polaires** de M, différent de O, tout couple de réels (ρ, θ), $\rho > 0$, tel que $OM = \rho$ et θ est une mesure de l'angle $\left(\vec{i}, \overrightarrow{OM}\right)$.

III. Les nombres complexes

1. Généralités

On note $\mathbb{C}$ l'ensemble des nombres complexes. Il contient un élément, noté i, tel que $i^2 = -1$.

La forme algébrique

$$\boxed{\begin{aligned} &z = a + ib \quad \text{avec } a \text{ et } b \text{ réels} \\ &\text{Partie réelle de } z : \text{Re}(z) = a \\ &\text{Partie imaginaire de } z : \text{Im}(z) = b \end{aligned}}$$

La forme trigonométrique

$\boxed{z = \rho\left(\cos(\theta) + i\sin(\theta)\right)}$ avec ρ réel strictement positif.

La forme exponentielle

$\boxed{z = \rho e^{i\theta}}$ avec ρ réel strictement positif.

2. Les opérations

Pour tous réels a, b, a' et b',

$$(a + ib) + (a' + ib') = (a + a') + i(b + b').$$
$$(a + ib) - (a' + ib') = (a - a') + i(b - b')$$
$$(a + ib) \times (a' + ib') = (aa' - bb') + i(ab' + ba')$$
$$\frac{1}{a + ib} = \frac{a}{a^2 + b^2} - i\frac{b}{a^2 + b^2} \qquad (a,b) \neq (0,0)$$
$$\frac{a + ib}{a' + ib'} = \frac{aa' + bb'}{a'^2 + b'^2} + i\frac{ba' - ab'}{a'^2 + b'^2} \qquad (a',b') \neq (0,0)$$

3. La conjugaison

Définition

Soit $z = a + ib$ avec a et b réels. On appelle **conjugué** de z le nombre complexe $\boxed{\overline{z} = a - ib}$.

Propriétés

$$\boxed{\begin{aligned} \overline{z + z'} &= \overline{z} + \overline{z'} \\ \overline{zz'} &= \overline{z} \times \overline{z'} \\ \overline{\left(\frac{z}{z'}\right)} &= \frac{\overline{z}}{\overline{z'}} \quad (z' \neq 0) \\ \overline{z^n} &= \overline{z}^n \quad (n \in \mathbb{N}) \\ \overline{(\overline{z})} &= z \end{aligned}}$$

$$\boxed{\begin{aligned} (z \in \mathbb{R}) &\Leftrightarrow (z = \overline{z}) \\ (z \in \mathbb{R}i) &\Leftrightarrow (z = -\overline{z}) \end{aligned}}$$

4. Le module de z

Définition

Soit $z = a + ib$ avec a et b réels. On appelle **module** de z le réel $\sqrt{a^2 + b^2}$. On écrit $\boxed{|z| = \sqrt{a^2 + b^2}}$.

Propriétés

$$\boxed{\begin{aligned} |zz'| &= |z||z'| \\ \left|\frac{z}{z'}\right| &= \frac{|z|}{|z'|} \quad (z' \neq 0) \\ |z^n| &= |z|^n \quad (n \in \mathbb{N}) \\ |z + z'| &\leq |z| + |z'| \end{aligned}}$$

$$\boxed{\begin{aligned} |z|^2 &= z\overline{z} \\ |\overline{z}| &= |z| \end{aligned}}$$

5. Un argument de z non nul

Définition

On munit le plan d'un repère orthonormé $\left(O, \vec{u}, \vec{v}\right)$.

Soit z un nombre complexe non nul et M le point d'affixe z.

On appelle **argument** de z une mesure de l'angle $\left(\vec{u}, \overrightarrow{OM}\right)$.

On écrit $\boxed{\arg(z) = \left(\vec{u}, \overrightarrow{OM}\right) \ [2\pi]}$.

Propriétés

Pour tous nombres complexes non nuls z et z',

$$\arg\left(zz'\right) = \arg(z) + \arg\left(z'\right) \ [2\pi]$$

$$\arg\left(\frac{1}{z}\right) = -\arg(z) \ [2\pi]$$

$$\arg\left(\frac{z}{z'}\right) = \arg(z) - \arg\left(z'\right) \ [2\pi]$$

$$\arg\left(z^n\right) = n\arg(z) \ [2\pi] \ \ (n \in \mathbb{N})$$

$$\arg(\overline{z}) = -\arg(z) \ [2\pi]$$

$$\arg(-z) = \pi + \arg(z) \ [2\pi]$$

$$\left(z \in \mathbb{R}^*\right) \Leftrightarrow \left(\arg(z) = 0 \ [\pi]\right)$$

$$\left(z \in \mathbb{R}_+^*\right) \Leftrightarrow \left(\arg(z) = 0 \ [2\pi]\right)$$

$$\left(z \in \mathbb{R}_-^*\right) \Leftrightarrow \left(\arg(z) = \pi \ [2\pi]\right)$$

$$\left(z \in \mathbb{R}^* i\right) \Leftrightarrow \left(\arg(z) = \frac{\pi}{2} \ [\pi]\right)$$

Forme trigonométrique

La **forme trigonométrique** de $z \neq 0$ est $z = \rho(\cos\theta + i\sin\theta)$ où ρ est un réel strictement positif et θ un réel.

ρ est le module de z et θ est un argument de z.

Si $z = a + ib$ est la forme algébrique de z alors :

$$\boxed{\rho = \sqrt{a^2 + b^2}} \text{ et } \boxed{\cos\theta = \frac{a}{\sqrt{a^2 + b^2}} \ , \ \sin\theta = \frac{b}{\sqrt{a^2 + b^2}}} .$$

6. La notation exponentielle

Définition

Pour tout réel θ, on pose $e^{i\theta} = \cos(\theta) + i\sin(\theta)$.

Propriétés

$$\left| e^{i\theta} \right| = 1$$
$$\arg\left(e^{i\theta} \right) = \theta \ [2\pi]$$

$$e^{i0} = 1 \qquad e^{i\pi} = -1$$
$$e^{i\frac{\pi}{2}} = i \qquad e^{-i\frac{\pi}{2}} = -i$$

$$e^{i\theta} e^{i\theta'} = e^{i(\theta+\theta')}$$

$$e^{-i\theta} = \frac{1}{e^{i\theta}}$$

$$\frac{e^{i\theta}}{e^{i\theta'}} = e^{i(\theta-\theta')}$$

$$\left(e^{i\theta} \right)^n = e^{in\theta} \quad (n \in \mathbb{N})$$

Les formules d'Euler

$$\cos(\theta) = \frac{e^{i\theta} + e^{-i\theta}}{2}$$

$$\sin(\theta) = \frac{e^{i\theta} - e^{-i\theta}}{2i}$$

Les formules de Moivre

Pour tout réel θ et pour tout entier naturel n,

$$\left[\cos(\theta) + i\sin(\theta) \right]^n = \cos(n\theta) + i\sin(n\theta)$$

$$\left[\cos(\theta) - i\sin(\theta) \right]^n = \cos(n\theta) - i\sin(n\theta)$$

Remarque : Autrement dit $\left(e^{i\theta} \right)^n = e^{in\theta} \ ; \ \left(e^{-i\theta} \right)^n = e^{-in\theta}$.

7. Les équations du second degré à coefficients réels

Théorème

On considère l'équation (E) : $az^2 + bz + c = 0$ (a, b et c réels, $a \neq 0$).

On note $\Delta = b^2 - 4ac$ le discriminant de l'équation.

• Si $\Delta > 0$ alors (E) admet deux solutions réelles
$x' = \dfrac{-b + \sqrt{\Delta}}{2a}$ et $x'' = \dfrac{-b - \sqrt{\Delta}}{2a}$.

• Si $\Delta = 0$ alors (E) admet une unique solution réelle $x = \dfrac{-b}{2a}$.

• Si $\Delta < 0$ alors (E) admet deux solutions complexes conjuguées : $x' = \dfrac{-b + i\sqrt{-\Delta}}{2a}$ et $x'' = \dfrac{-b - i\sqrt{-\Delta}}{2a}$.

Remarque : la somme des solutions égale $-\dfrac{b}{a}$ et le produit des solutions égale $\dfrac{c}{a}$.

8. Les nombres complexes et la géométrie

Le plan est muni d'un repère orthonormé $\left(O, \vec{u}, \vec{v}\right)$.

Soit A, B, C et D d'affixes respectives z_A, z_B, z_C et z_D.

Formules fondamentales

$$z_{\overrightarrow{AB}} = z_B - z_A$$

$$AB = |z_B - z_A|$$

$$\left(\overrightarrow{AB}, \overrightarrow{CD}\right) = \arg\left(\frac{z_D - z_C}{z_B - z_A}\right) [2\pi] \quad (A \neq B \text{ et } C \neq D)$$

$$\left(I = m(A, B)\right) \Leftrightarrow \left(z_I = \frac{z_A + z_B}{2}\right)$$

• La médiatrice de $[AB]$ est l'ensemble des points M d'affixe z tels que $|z - z_A| = |z - z_B|$.

• Le cercle de centre Ω d'affixe ω et de rayon r est l'ensemble des points M d'affixe z tels que $|z - \omega| = r$.

• Le cercle de centre Ω d'affixe ω et de rayon r est l'ensemble des points M d'affixe z tels que $z = \omega + re^{i\theta}$ $(\theta \in \mathbb{R})$.

Les transformations du plan

Soit f la transformation du plan qui, à tout point M d'affixe z, associe le point M' d'affixe z'.

III. Formulaire de mathématiques

- f est la translation de vecteur d'affixe b si, et seulement si, $z' = z + b$.
- f est l'homothétie de centre Ω d'affixe ω et de rapport k $\left(k \in \mathbb{R}^*\right)$ si, et seulement si, $z' - \omega = k(z - \omega)$.
- f est la rotation de centre Ω d'affixe ω et d'angle θ si, et seulement si, $z' - \omega = e^{i\theta}(z - \omega)$.

ANALYSE

I. Les fonctions

1. Les généralités

Définition

On dit que f est une fonction de $\mathbb{R}$ vers $\mathbb{R}$ si tout réel x a pour image par f au plus un nombre réel.

Remarque : $y = f(x)$ est l'**image** de x par f, x est un **antécédent** de y.

L'ensemble de définition de la fonction f est le sous-ensemble de $\mathbb{R}$, noté E_f, constitué des éléments qui ont une image.

Définitions

f est **majorée** par le réel M si, et seulement si, pour tout x appartenant à E_f, $f(x) \leq M$. M est un **majorant** de f sur I.

f est **minorée** par le réel m si, et seulement si, pour tout x appartenant à E_f, $m \leq f(x)$. m est un **minorant** de f sur I

f est **bornée** si, et seulement si, elle est minorée et majorée.

2. Les extremums

Définitions

Soit f définie sur I et a un élément de I. f admet en a un **maximum** sur I (respectivement un **minimum**) si, pour tout x appartenant à I, $f(x) \leq f(a)$ (respectivement $f(a) \leq f(x)$).

Remarque : On dit que f atteint un maximum (respectivement un minimum) en a qui vaut $f(a)$.

Soit f définie sur I et a un élément de I. f admet en a un **maximum local** (respectivement un **minimum local**) s'il existe un intervalle ouvert de I contenant a tel que, pour tout x de cet intervalle, $f(x) \leq f(a)$ (respectivement $f(a) \leq f(x)$).

3. Les éléments de symétrie de la courbe

Le graphe
Soit $\left(O, \vec{i}, \vec{j}\right)$ un repère du plan. On appelle **représentation graphique** de f, notée C_f, l'ensemble des points $M\left(x, f(x)\right)$ où x appartient à E_f.

Définitions
On dit que f est une **fonction paire** si E_f est symétrique par rapport à 0 et si, pour tout x appartenant à E_f, $\boxed{f(x) = f(-x)}$.
Remarque : Si le repère est orthogonal alors C_f admet l'axe des ordonnées comme axe de symétrie.

On dit que f est une **fonction impaire** si E_f est symétrique par rapport à 0 et si, pour tout x appartenant à E_f, $\boxed{f(-x) = -f(x)}$.
Remarque : C_f admet le point O comme centre de symétrie.

Axe de symétrie
Si E_f est symétrique par rapport à a et si, pour tout x appartenant à E_f, $\boxed{f(2a - x) = f(x)}$ alors C_f admet la droite d'équation $x = a$ comme axe de symétrie.

Centre de symétrie
Si E_f est symétrique par rapport à a et si, pour tout x appartenant à E_f, $\boxed{f(2a - x) + f(x) = 2b}$ alors C_f admet le point $\Omega\left(a, b\right)$ comme centre de symétrie.

Fonction périodique

La fonction f définie sur $\mathbb{R}$ est **périodique** de période T si, et seulement si, pour tout réel x, $\boxed{f(x+T) = f(x)}$.

Remarque : Si f est périodique de période T alors C_f est invariante dans toute translation de vecteur $kT\vec{i}$ où $k \in \mathbb{Z}$.

4. Les variations d'une fonction

Définitions

Une fonction f est **croissante** (respectivement **décroissante**) sur un intervalle I si, et seulement si, pour tous les réels a et b de I vérifiant $a < b$, on a : $f(a) \leq f(b)$ (respectivement $f(a) \geq f(b)$).

Remarque : Les réels a, b et leurs images sont rangés sont rangés dans le même ordre (respectivement dans un ordre contraire).

Une fonction f est **strictement croissante** (respectivement **strictement décroissante**) sur un intervalle I si, et seulement si, pour tous les réels a et b de I vérifiant $a < b$, on a : $f(a) < f(b)$ (respectivement $f(a) > f(b)$).

Une fonction f est **constante** sur I si, et seulement si, pour tous les réels a et b de I, on a $f(a) = f(b)$.

Le **taux de variation** de f entre a et b est le réel $\dfrac{f(b) - f(a)}{b - a}$.

Théorème

La fonction f est croissante (respectivement décroissante) sur l'intervalle I si, et seulement si, le taux de variation entre deux réels distincts quelconques de I est positif (respectivement négatif).

5. Les limites

a désigne $+\infty$ ou bien $-\infty$ ou bien un réel x_0.
On suppose que f est définie au voisinage de a.

Définitions

On dit que f tend vers $+\infty$ quand x tend vers a si, pour tout réel M, l'intervalle $[M\,;+\infty[$ contient tous les réels $f(x)$ pour x suffisamment proche de a.

On écrit $\boxed{\lim_{x\to a} f(x) = +\infty}$ ou $\boxed{\lim_{a} f = +\infty}$.

On dit que f tend vers $-\infty$ quand x tend vers a si, pour tout réel M, l'intervalle $]-\infty\,;M]$ contient tous les réels $f(x)$ pour x suffisamment proche de a.

On écrit $\boxed{\lim_{x\to a} f(x) = -\infty}$ ou $\boxed{\lim_{a} f = -\infty}$.

On dit que f tend vers l quand x tend vers a si tout intervalle ouvert contenant l contient tous les réels $f(x)$ pour x suffisamment proche de a.

On écrit $\boxed{\lim_{x\to a} f(x) = l}$ ou $\boxed{\lim_{a} f = l}$.

On dit que f tend vers l quand x tend vers a par valeurs supérieures (resp. inférieures) lorsque la restriction de f à un intervalle du type $]a\,;b[$ (resp. $]b\,;a[$) admet l comme limite quand x tend vers a. On écrit $\boxed{\lim_{\substack{x\to a \\ x>a}} f(x) = l}$ ou $\boxed{\lim_{a^+} f = l}$ (resp.

$\boxed{\lim_{\substack{x\to a \\ x<a}} f(x) = l}$ ou $\boxed{\lim_{a^-} f = l}$).

Théorème

• **La limite d'une fonction polynôme** en $\pm\infty$ égale celle de son monôme de plus haut degré.

214

• **La limite d'une fonction rationnelle** en $\pm\infty$ égale celle du rapport des monômes de plus haut degré.

Limites et opérations

Limites de la somme de deux fonctions

Si $\lim\limits_{x\to a} f(x) =$	l	l	$+\infty$	$-\infty$	$+\infty$
et si $\lim\limits_{x\to a} g(x) =$	l'	$\pm\infty$	$+\infty$	$-\infty$	$-\infty$
alors $\lim\limits_{x\to a}(f+g)(x) =$	$l+l'$	$\pm\infty$	$+\infty$	$-\infty$	?

Limites du produit de deux fonctions

Si $\lim\limits_{x\to a} f(x) =$	l	$l \neq 0$	0	$\pm\infty$
et si $\lim\limits_{x\to a} g(x) =$	l'	$\pm\infty$	$\pm\infty$	$\pm\infty$
alors $\lim\limits_{x\to a}(fg(x)) =$	$l\times l'$	$\pm\infty$	?	$\pm\infty$

Limite du quotient de deux fonctions

Si $\lim\limits_{x\to a} f(x) =$	l	$l \neq 0$	$\pm\infty$	$\pm\infty$	0
et si $\lim\limits_{x\to a} g(x) =$	$l' \neq 0$	0	l'	$\pm\infty$	0
alors $\lim\limits_{x\to a}\left(\dfrac{f}{g}\right)(x) =$	$\dfrac{l}{l'}$	$\pm\infty$	$\pm\infty$	?	?

La composée de deux fonctions
Soit f une fonction définie sur I et g une fonction définie sur J contenant $f(I)$. La **composée** de f et g, notée $g\circ f$, est la fonction définie sur I par $\boxed{(g\circ f)(x) = g[f(x)]}$.

Limite d'une fonction composée
a, b et c désignent un réel ou bien $+\infty$ ou bien $-\infty$.

$$\left.\begin{array}{l}\lim_{x \to a} f(x) = b \\ \lim_{x \to b} g(x) = c\end{array}\right\} \lim_{x \to a} (g \circ f)(x) = c.$$

Les théorèmes de comparaison

- a désigne un réel ou bien $+\infty$ ou bien $-\infty$.

Soit f et g deux fonctions définies sur I, voisinage de a.

Si, pour tout x appartenant à I, $f(x) \geq g(x)$ (resp. $f(x) \leq g(x)$) et $\lim_{x \to a} g(x) = +\infty$ (resp. $\lim_{x \to a} g(x) = -\infty$) alors $\lim_{x \to a} f(x) = +\infty$ (resp. $\lim_{x \to a} f(x) = -\infty$).

- a désigne un réel ou bien $+\infty$ ou bien $-\infty$. l est un réel.

Soit f, g et h trois fonctions définies sur I, voisinage de a.

Si, pour tout x appartenant à I, $g(x) \leq f(x) \leq h(x)$ avec $\lim_{x \to a} g(x) = l$ et $\lim_{x \to a} h(x) = l$ alors $\lim_{x \to a} f(x) = l$.

Passage à la limite

a désigne un réel ou bien $+\infty$ ou bien $-\infty$. l et l' sont deux réels. Soit f et g deux fonctions définies sur I, voisinage de a.

Si, pour tout x appartenant à I, $g(x) \leq f(x)$ et si $\lim_{x \to a} g(x) = l$ et $\lim_{x \to a} f(x) = l'$ alors $l \leq l'$.

6. Les asymptotes

Définition

Soit f une fonction définie sur un voisinage de $\pm\infty$.

- Si $\lim_{x \to \pm\infty} f(x) = l$ alors C_f admet au voisinage de $\pm\infty$ une **asymptote horizontale** d'équation $y = l$.

- Si $\lim_{x \to \pm\infty} \left[f(x) - (ax + b) \right] = 0$ $(a \neq 0)$ alors C_f admet au voisinage de $\pm\infty$ une **asymptote oblique** d'équation $y = ax + b$.

Soit f une fonction définie sur un voisinage de x_0.

- Si $\lim_{x \to x_0^+} f(x) = \pm\infty$ ou $\lim_{x \to x_0^-} f(x) = \pm\infty$ alors C_f admet une **asymptote verticale** d'équation $x = x_0$.

Remarque : Les courbes C_f et C_g sont asymptotes en $\pm\infty$ lorsque $\lim_{x \to \pm\infty} \left[f(x) - g(x) \right] = 0$.

7. La continuité

Définitions

Soit f une fonction définie sur un intervalle contenant x_0.

f est continue en x_0 si, et seulement si, $\boxed{\lim_{x \to x_0} f(x) = f(x_0)}$.

Une fonction est continue sur un intervalle I si elle est continue en tout point de I.

Théorème

Toute fonction dérivable sur I est continue sur I.

Théorème des valeurs intermédiaires

Soit f continue sur un intervalle I et a, b deux réels de I. Pour tout réel k compris entre $f(a)$ et $f(b)$ il existe au moins un réel c appartenant à I tel que $f(c) = k$ (f prend toutes les valeurs intermédiaires entre $f(a)$ et $f(b)$).

Corollaire

Soit f continue et strictement monotone sur $[a;b]$. Pour tout réel k compris entre $f(a)$ et $f(b)$, il existe un unique réel c appartenant à $[a;b]$ tel que $f(c) = k$.

Cas particulier : Soit f continue et strictement monotone sur $[a;b]$. Si $f(a)f(b) < 0$ alors l'équation $f(x) = 0$ admet une unique solution appartenant à $]a;b[$.

Extension : Soit f continue et strictement monotone sur $[a;b[$ avec $f(a) < 0$ et $\lim_{x \to b^-} f(x) = +\infty$ alors l'équation $f(x) = 0$ admet une unique solution appartenant à $[a;b[$. On peut aussi étendre ce théorème aux intervalles $]a;b]$, $]a;b[$, $[a;+\infty[$,...

8. La dérivabilité

Définition
Soit f définie un intervalle I contenant x_0. Les trois définitions suivantes sont équivalentes.

- f est dérivable en x_0 si, et seulement si, $\lim\limits_{x \to x_0} \dfrac{f(x) - f(x_0)}{x - x_0}$ existe et est finie. Cette limite est alors le nombre dérivé de f en x_0. On le note $f'(x_0)$.

- f est dérivable en x_0 si, et seulement si, $\lim\limits_{h \to 0} \dfrac{f(x_0 + h) - f(x_0)}{h}$ existe et est finie. Cette limite est alors le nombre dérivé de f en x_0. On le note $f'(x_0)$.

- f est dérivable en x_0 si, et seulement si, pour tout réel h tel que $x_0 + h$ soit dans I, $f(x_0 + h) = f(x_0) + ah + h\varepsilon(h)$ avec $\lim\limits_{h \to 0} \varepsilon(h) = 0$. On a alors $f'(x_0) = a$. $f(x_0) + ah$ est l'**approximation affine** de f au voisinage de x_0.

Équation d'une tangente
Si f est dérivable en x_0 alors C_f admet au point d'abscisse x_0 une tangente d'équation : $\boxed{y = f'(x_0)(x - x_0) + f(x_0)}$

Remarque : Si $\lim\limits_{x \to x_0} \dfrac{f(x) - f(x_0)}{x - x_0} = \pm\infty$ alors C_f admet au point d'abscisse x_0 une tangente verticale.

Définition
Une fonction est dérivable sur un intervalle I si elle est dérivable en tout point de I.

Tableau des dérivées

$f(x)$	$f'(x)$	Ensemble de dérivabilité
a	0	$\mathbb{R}$
x	1	$\mathbb{R}$
x^n $\quad$ $n \in \mathbb{N} - \left\{0\,;1\right\}$	nx^{n-1}	$\mathbb{R}$
$\dfrac{1}{x^n}$ $\quad$ $n \in \mathbb{N}$	$-\dfrac{n}{x^{n+1}}$	$\mathbb{R}^*$
$\sqrt{x}$	$\dfrac{1}{2\sqrt{x}}$	$\mathbb{R}^*_+$
$\cos(x)$	$-\sin(x)$	$\mathbb{R}$
$\sin(x)$	$\cos(x)$	$\mathbb{R}$
$\tan(x)$	$\dfrac{1}{\cos^2(x)} = 1 + \tan^2(x)$	$\left]-\dfrac{\pi}{2} + k\pi\,;\dfrac{\pi}{2} + k\pi\right[$ $\quad k \in \mathbb{Z}$
$\ln(x)$	$\dfrac{1}{x}$	$\mathbb{R}^*_+$
e^x	e^x	$\mathbb{R}$
$a^x \, (a > 0)$	$a^x \ln(a)$	$\mathbb{R}$

Définition

On suppose f dérivable sur I. La dérivée seconde de f sur I est la fonction $\left(f'\right)'$, on la note f''. Pour les dérivées d'ordre supérieur ou égal à 3, on écrit $f^{(n)}$.

Théorème

Si u et v sont dérivables sur I alors $u + v$ et uv sont dérivables sur I.

De plus $\boxed{(u + v)' = u' + v'}$ et $\boxed{(uv)' = u'v + uv'}$.

Théorème

Si u et v sont dérivables sur I et si v ne s'annule pas sur I

alors $\dfrac{u}{v}$ est dérivable sur I et $\boxed{\left(\dfrac{u}{v}\right)' = \dfrac{u'v - uv'}{v^2}}$.

En particulier : $\boxed{\left(\dfrac{1}{v}\right)' = -\dfrac{v'}{v^2}}$.

Dérivée d'une fonction composée

Si f est dérivable sur I et si g est dérivable sur J contenant

$f(I)$ alors $g \circ f$ est dérivable sur I et $\boxed{(g \circ f)' = (g' \circ f) \times f'}$.

Conséquences :

si u est dérivable sur I alors :

- u^n ($n \in \mathbb{N}$) est dérivable sur I et $\boxed{(u^n)' = n u^{n-1} u'}$.

- e^u est dérivable sur I et $\boxed{(e^u)' = e^u}$.

si u est dérivable et ne s'annule pas sur I alors :

- $\dfrac{1}{u}$ est dérivable sur I et $\boxed{\left(\dfrac{1}{u}\right)' = -\dfrac{u'}{u^2}}$.

- $\dfrac{1}{u^n}$ ($n \in \mathbb{N}$) est dérivable sur I et $\boxed{\left(\dfrac{1}{u^n}\right)' = -\dfrac{n u'}{u^{n+1}}}$.

si u est dérivable et strictement positive sur I alors :

- $\sqrt{u}$ est dérivable sur I et $\boxed{(\sqrt{u})' = \dfrac{1}{2\sqrt{u}} u'}$.

- $\ln u$ est dérivable sur I et $\boxed{(\ln u)' = \dfrac{u'}{u}}$.

Théorèmes

Soit f une fonction dérivable sur un intervalle I.

Si, pour tout x appartenant à I, $f'(x) > 0$ (respectivement $f'(x) < 0$) sauf éventuellement en un nombre fini de points où f' s'annule alors f est **strictement croissante** (respective-ment **strictement décroissante**) sur I.

Si, pour tout x appartenant à I, $f'(x) = 0$ alors f est **constante** sur I.

Soit f une fonction dérivable sur un intervalle ouvert I et x_0 un réel de I. Si f admet en x_0 un extremum alors $f'(x_0) = 0$.

Conséquence : Si $f'(x_0) \neq 0$ alors $f(x_0)$ n'est pas un extremum.

Soit f une fonction dérivable sur un intervalle ouvert I et x_0 un réel de I. Si f' s'annule en x_0 en changeant de signe alors f admet en x_0 un extremum.

9. Les fonctions usuelles

Une fonction affine
$f : x \mapsto ax + b$, définie sur $\mathbb{R}$, est une fonction strictement crois-sante sur $\mathbb{R}$ lorsque $a > 0$, strictement décroissante si $a < 0$ et constante sur $\mathbb{R}$ si $a = 0$.

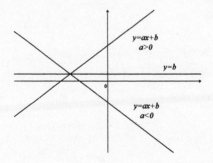

III. Formulaire de mathématiques

La fonction valeur absolue

$f : x \mapsto |x|$, définie sur $\mathbb{R}$, est une fonction paire strictement décroissante sur $\left]-\infty\,;0\right]$ et strictement croissante sur $\left[0\,;+\infty\right[$.

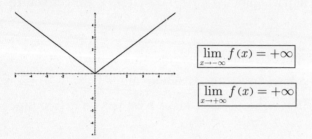

$$\lim_{x \to -\infty} f(x) = +\infty$$

$$\lim_{x \to +\infty} f(x) = +\infty$$

La fonction carrée

$f : x \mapsto x^2$, définie sur $\mathbb{R}$, est une fonction paire strictement décroissante sur $\left]-\infty\,;0\right]$ et strictement croissante sur $\left[0\,;+\infty\right[$.

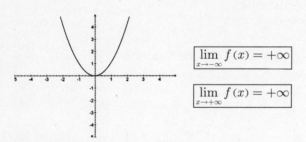

$$\lim_{x \to -\infty} f(x) = +\infty$$

$$\lim_{x \to +\infty} f(x) = +\infty$$

La fonction cube

$f : x \mapsto x^3$, définie sur $\mathbb{R}$, est une fonction impaire strictement croissante sur $\mathbb{R}$.

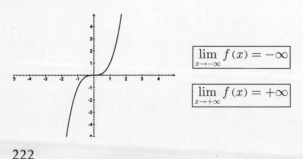

$$\lim_{x \to -\infty} f(x) = -\infty$$

$$\lim_{x \to +\infty} f(x) = +\infty$$

La fonction racine carrée

$f : x \mapsto \sqrt{x}$, définie sur $\mathbb{R}_+$, est une fonction strictement croissante sur $[0 ; +\infty[$.

Elle est continue en 0 mais n'est pas dérivable en 0.

C_f admet une tangente verticale au point d'abscisse 0.

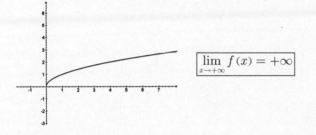

$$\lim_{x \to +\infty} f(x) = +\infty$$

La fonction inverse

$f : x \mapsto \dfrac{1}{x}$, définie sur $\mathbb{R}^*$, est une fonction impaire strictement décroissante sur $]-\infty ; 0[$ et sur $]0 ; +\infty[$.

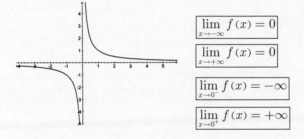

$$\lim_{x \to -\infty} f(x) = 0$$

$$\lim_{x \to +\infty} f(x) = 0$$

$$\lim_{x \to 0^-} f(x) = -\infty$$

$$\lim_{x \to 0^+} f(x) = +\infty$$

Les fonctions sinus et cosinus

La fonction cosinus est paire, périodique de période 2π.

La fonction sinus est impaire, périodique de période 2π.

Le graphe de la fonction sinus est l'image du graphe de la fonction cosinus par une translation de vecteur $\dfrac{\pi}{2} \vec{i}$.

223

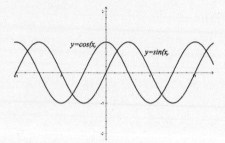

La fonction tangente

$\tan : x \mapsto \tan(x) = \dfrac{\sin(x)}{\cos(x)}$, définie sur $\left] -\dfrac{\pi}{2} + k\pi \,;\, \dfrac{\pi}{2} + k\pi \right[$ $(k \in \mathbb{Z})$,

est impaire, périodique de période π et strictement croissante

sur tout intervalle de la forme $\left] -\dfrac{\pi}{2} + k\pi \,;\, \dfrac{\pi}{2} + k\pi \right[$.

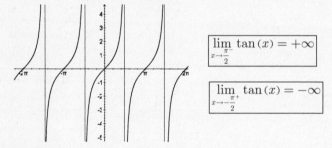

$$\lim_{x \to \frac{\pi}{2}^-} \tan(x) = +\infty$$

$$\lim_{x \to \frac{\pi}{2}^+} \tan(x) = -\infty$$

La fonction partie entière

$E : x \mapsto E(x)$ où $E(x)$ est l'unique entier relatif qui vérifie :

$$\boxed{E(x) \leq x < E(x) + 1}.$$

$E(x)$ est le plus grand entier relatif inférieur ou égal à x.

Soit x_0 un entier relatif. E est discontinue en x_0.

E est continue sur $\left] x_0 \,;\, x_0 + 1 \right[$.

E est une fonction croissante sur $\mathbb{R}$.

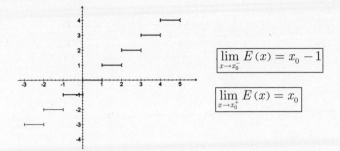

$$\lim_{x \to x_0^-} E(x) = x_0 - 1$$

$$\lim_{x \to x_0^+} E(x) = x_0$$

La fonction logarithme et la fonction exponentielle

Soit $\left(O, \vec{i}, \vec{j}\right)$ un repère orthonormé.

Le graphe de la fonction exponentielle et le graphe de la fonction logarithme sont symétriques par rapport à la droite d'équation $y = x$.

La fonction exponentielle est définie sur $\mathbb{R}$ et la fonction logarithme est définie sur $]0 ; +\infty[$.

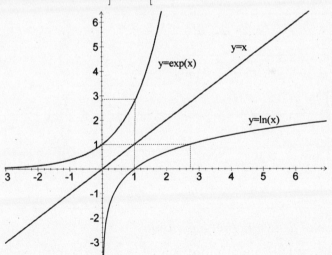

Définition

exp est l'unique solution de l'équation différentielle $y' = y$ avec la condition initiale $y(0) = 1$.

III. Formulaire de mathématiques

Propriétés

$$\begin{cases} y = e^x \\ x \in \mathbb{R} \end{cases} \Leftrightarrow \begin{cases} x = \ln(y) \\ y \in \mathbb{R}_+^* \end{cases}.$$

Pour tout $x > 0$, $e^{\ln(x)} = x$.
Pour tout réel x, $\ln\left(e^x\right) = x$.

Valeurs remarquables
$e \approx 2.718$, $\ln(1) = 0$, $\ln(e) = 1$, $e^0 = 1$, $e^1 = e$.

Propriétés de la fonction exponentielle
  • La fonction exponentielle est une fonction strictement croissante sur $\mathbb{R}$.
  • Pour tout réel x, $\boxed{e^x > 0}$.
  • Pour tous réels x et y :

$$\boxed{e^x e^y = e^{x+y}} \, , \; \boxed{\frac{1}{e^x} = e^{-x}} \, , \; \boxed{\frac{e^x}{e^y} = e^{x-y}} \, , \; \boxed{\sqrt{e^x} = e^{\frac{x}{2}}} \, , \; \boxed{\left(e^x\right)^n = e^{nx}}.$$

$$\boxed{\left(e^x = e^y\right) \Leftrightarrow (x = y)} \, , \; \boxed{\left(e^x > e^y\right) \Leftrightarrow (x > y)}.$$

$$\boxed{e^{(x_1 + x_2 + \dots + x_n)} = e^{x_1} \times e^{x_2} \times \dots \times e^{x_n}} \, \text{ou} \; \boxed{e^{\sum_{i=1}^{n} x_i} = \prod_{i=1}^{n} e^{x_i}}.$$

Les limites

$$\lim_{x \to +\infty} e^x = +\infty \qquad\qquad \lim_{x \to -\infty} e^x = 0$$

$$\lim_{x \to -\infty} x e^x = 0 \qquad\qquad \lim_{x \to +\infty} \frac{e^x}{x^n} = +\infty \; (n \in \mathbb{N})$$

$$\lim_{x \to -\infty} x^n e^x = 0 \; (n \in \mathbb{N}) \qquad \lim_{x \to 0} \frac{e^x - 1}{x} = 1$$

Propriétés de la fonction logarithme
  • $\ln$ est l'unique primitive sur $]0; +\infty[$ de la fonction $x \mapsto \dfrac{1}{x}$

qui prend la valeur 0 en 1. $\boxed{\ln(x) = \int_1^x \frac{1}{t} \, dt}$.

  • $\ln$ est une fonction strictement croissante sur $]0; +\infty[$.

• Pour tous $x > 0$, $y > 0$:

$$\boxed{\ln(xy) = \ln(x) + \ln(y)}, \quad \boxed{\ln\left(\frac{1}{x}\right) = -\ln(x)},$$

$$\boxed{\ln\left(\frac{x}{y}\right) = \ln(x) - \ln(y)}, \quad \boxed{\ln(\sqrt{x}) = \frac{1}{2}\ln(x)},$$

$$\boxed{\ln(x^n) = n\ln(x)} \ (n \in \mathbb{Z}).$$

$$\boxed{(\ln(x) = \ln(y)) \Leftrightarrow (x = y)}, \quad \boxed{(\ln(x) < \ln(y)) \Leftrightarrow (x < y)}.$$

$$\boxed{\ln(x_1 \times x_2 \times ... \times x) = \ln(x_1) + \ln(x_2) + ... + \ln(x_n)}.$$

Autrement dit $\boxed{\ln\left(\prod_{i=1}^{n} x_i\right) = \sum_{i=1}^{n} \ln(x_i)}$.

Les limites

$$\lim_{x \to +\infty} \ln(x) = +\infty \qquad\qquad \lim_{x \to 0^+} \ln(x) = -\infty$$

$$\lim_{x \to +\infty} \frac{\ln(x)}{x^n} = 0 \ \left(n \in \mathbb{N}^*\right) \qquad \lim_{x \to 0} \frac{\ln(1+x)}{x} = 1$$

$$\lim_{x \to 0} x^n \ln(x) = 0 \ \left(n \in \mathbb{N}^*\right)$$

Logarithme décimal

La fonction **logarithme décimal** est la fonction notée $\log$ définie sur $\mathbb{R}_+^*$ par $\boxed{\log(x) = \frac{\ln(x)}{\ln(10)}}$.

Propriétés

$\log(10) = 1$. Pour tout entier naturel n, $\boxed{\log(10^n) = n\log(10)}$.

Fonction exponentielle de base a $(a > 0)$

La fonction $\exp_a$, définie sur $\mathbb{R}$ par $\exp_a(x) = e^{x\ln(a)}$, s'appelle la fonction exponentielle de base a. On écrit $\boxed{e^{x\ln(a)} = a^x}$.

III. Formulaire de mathématiques

Pour tous réels strictement positifs a et b, pour tous réels x et y, on a :

$$a^x \times a^y = a^{x+y} \qquad \left(a^x\right)^y = a^{xy} \qquad (ab)^x = a^x b^x$$

$$\frac{a^x}{a^y} = a^{x-y} \qquad \left(\frac{a}{b}\right)^x = \frac{a^x}{b^x}$$

Théorèmes

La fonction exponentielle de base a est dérivable sur $\mathbb{R}$ et, pour tout réel x, $\boxed{\left(\exp_a\right)'(x) = a^x \ln(a)}$.

• Si $a > 1$, la fonction exponentielle de base a est strictement croissante sur $\mathbb{R}$.

$$\boxed{\lim_{x \to -\infty} a^x = 0} \text{ et } \boxed{\lim_{x \to +\infty} a^x = +\infty}.$$

• Si $0 < a < 1$, la fonction exponentielle de base a est strictement décroissante sur $\mathbb{R}$.

$$\boxed{\lim_{x \to -\infty} a^x = +\infty} \text{ et } \boxed{\lim_{x \to +\infty} a^x = 0}.$$

La racine n-ième

Soit a un réel positif. On appelle racine n-ième de a, notée $\sqrt[n]{a}$, l'unique réel positif x tel que $x^n = a$.

Propriétés

$$\begin{cases} y = \sqrt[n]{x} \\ x \geq 0 \end{cases} \Leftrightarrow \begin{cases} x = y^n \\ y \geq 0 \end{cases}$$

• Pour tout réel positif a, $\boxed{\sqrt[n]{a} = a^{\frac{1}{n}}}$.

• Pour tous réels positifs x et y, on a :

$$\boxed{\sqrt[n]{xy} = \sqrt[n]{x}\,\sqrt[n]{y}} \text{ et } \boxed{\sqrt[n]{\frac{x}{y}} = \frac{\sqrt[n]{x}}{\sqrt[n]{y}} \quad (y > 0)}$$

• La fonction racine n-ième, $x \mapsto \sqrt[n]{x}$, est définie sur $[0;+\infty[$. Elle est continue et strictement croissante sur $[0;+\infty[$. $\lim_{x \to +\infty} \sqrt[n]{x} = +\infty$.

II. Les suites

1. Le raisonnement par récurrence

On considère une proposition $P(n)$ qui dépend d'un entier naturel n. Soit n_0 un entier naturel. Si $P(n_0)$ est vraie et si, pour tout entier naturel n supérieur ou égal à n_0, $P(n)$ vraie implique $P(n+1)$ vraie, alors $P(n)$ est vraie pour tout entier naturel n supérieur ou égal à n_0.

Remarque : Une démonstration par récurrence se fait donc en deux étapes.

L'initialisation : on montre que $P(n_0)$ est vraie.

L'hérédité : $P(n)$ vraie implique $P(n+1)$ vraie.

2. Les généralités

Définition

Une **suite numérique** est une fonction u définie sur $\mathbb{N}$ ou une partie de $\mathbb{N}$ et à valeurs dans $\mathbb{R}$.

Pour tout entier naturel n, $u(n)$ s'écrit u_n qui est un **terme** de la suite. La suite u s'écrit $(u_n)_{n \in \mathbb{N}}$.

Les différents types de suites

Soit f une fonction numérique.

- Suites définies explicitement : $u_n = f(n)$.

- Suites définies par une somme : $u_n = \displaystyle\sum_{k=0}^{n} f(k)$.

- Suites définies par récurrence : $u_{n+1} = f(u_n)$ et $u_0 \in \mathbb{R}$.

Définitions

- $(u_n)_{n \in \mathbb{N}}$ est **croissante** lorsque, pour tout entier naturel n, $u_{n+1} \geq u_n$.

- $(u_n)_{n \in \mathbb{N}}$ est **décroissante** lorsque, pour tout entier naturel n, $u_{n+1} \leq u_n$.

- $(u_n)_{n \in \mathbb{N}}$ est **constante** lorsque, pour tout entier naturel n, $u_{n+1} = u_n$.

- $(u_n)_{n\in\mathbb{N}}$ est **monotone** si, et seulement si, elle est croissante ou décroissante.

- $(u_n)_{n\in\mathbb{N}}$ est **majorée** s'il existe un réel M tel que, pour tout entier naturel n, $u_n \leq M$.

- $(u_n)_{n\in\mathbb{N}}$ est **minorée** s'il existe un réel m tel que, pour tout entier naturel n, $m \leq u_n$.

- $(u_n)_{n\in\mathbb{N}}$ est **bornée** si elle est majorée et minorée.

- Une suite $(u_n)_{n\in\mathbb{N}}$ est une suite **périodique** de période p $(p \in \mathbb{N}^*)$ lorsque pour tout entier naturel n, $u_{n+p} = u_n$.

3. Les suites convergentes et les suites divergentes

Définitions

- Une suite $(u_n)_{n\in\mathbb{N}}$ tend vers $+\infty$ (resp. $-\infty$) si, pour tout réel M, l'intervalle $[M;+\infty[$ (resp. $]-\infty;M]$) contient tous les termes de la suite à partir d'un certain rang. On écrit $\lim\limits_{n\to+\infty} u_n = +\infty$ (resp. $\lim\limits_{n\to+\infty} u_n = -\infty$).

- Une suite $(u_n)_{n\in\mathbb{N}}$ tend vers un réel l si tout intervalle ouvert contenant l contient tous les termes de la suite à partir d'un certain rang. On écrit $\lim\limits_{n\to+\infty} u_n = l$. On dit que la suite est **convergente**. Une suite qui n'est pas convergente est dite **divergente**.

Théorèmes de comparaison

Soit $(u_n)_{n\in\mathbb{N}}$ et $(v_n)_{n\in\mathbb{N}}$ deux suites.

- Si $\lim\limits_{n\to+\infty} v_n = +\infty$ et s'il existe un entier naturel n_0 tel que pour tout entier $n \geq n_0$, $u_n \geq v_n$, alors $\lim\limits_{n\to+\infty} u_n = +\infty$.

- Si $\lim\limits_{n\to+\infty} v_n = -\infty$ et s'il existe un entier naturel n_0 tel que pour tout entier $n \geq n_0$, $u_n \leq v_n$, alors $\lim\limits_{n\to+\infty} u_n = -\infty$.

Théorème des gendarmes

Soit $(u_n)_{n\in\mathbb{N}}$, $(v_n)_{n\in\mathbb{N}}$ et $(w_n)_{n\in\mathbb{N}}$ trois suites.

Si $\lim\limits_{n\to+\infty} v_n = l$, $\lim\limits_{n\to+\infty} w_n = l$ et s'il existe un entier naturel n_0 tel que, pour tout entier $n \geq n_0$, $v_n \leq u_n \leq w_n$ alors $(u_n)_{n\in\mathbb{N}}$ converge et $\lim\limits_{n\to+\infty} u_n = l$.

Théorème de comparaison

Soit $(u_n)_{n\in\mathbb{N}}$ et $(v_n)_{n\in\mathbb{N}}$ deux suites.

Si $\lim\limits_{n\to+\infty} v_n = 0$ et s'il existe un réel l et un entier naturel n_0 tel que, pour tout entier $n \geq n_0$, $|u_n - l| \leq v_n$ alors $(u_n)_{n\in\mathbb{N}}$ converge et $\lim\limits_{n\to+\infty} u_n = l$.

Théorème

Soit $(u_n)_{n\in\mathbb{N}}$ la suite définie par $u_n = f(n)$ où f est une numérique définie sur $[0;+\infty[$. Si f a une limite en $+\infty$ (finie ou non) alors $(u_n)_{n\in\mathbb{N}}$ a la même limite.

Passage à la limite

Soit $(u_n)_{n\in\mathbb{N}}$ et $(v_n)_{n\in\mathbb{N}}$ sont deux suites convergentes. S'il existe un entier naturel n_0 tel que pour tout entier naturel n supérieur à n_0, $u_n \leq v_n$ alors $\lim\limits_{n\to+\infty} u_n \leq \lim\limits_{n\to+\infty} v_n$.

Remarque : s'il existe un entier naturel n_0 tel que pour tout entier naturel n supérieur à n_0, $u_n < v_n$ alors $\lim\limits_{n\to+\infty} u_n \leq \lim\limits_{n\to+\infty} v_n$. On garde des inégalités larges.

Théorèmes

Si $(u_n)_{n\in\mathbb{N}}$ est une suite croissante (respectivement décroissante) et convergente vers l alors $(u_n)_{n\in\mathbb{N}}$ est majorée (respectivement minorée) par l.

Si $\left(u_n\right)_{n\in\mathbb{N}}$ est une suite croissante (respectivement décroissante) et non majorée (respectivement minorée) alors $\lim\limits_{n\to+\infty} u_n = +\infty$ (respectivement $\lim\limits_{n\to+\infty} u_n = -\infty$).

Si $\left(u_n\right)_{n\in\mathbb{N}}$ est une suite croissante (respectivement décroissante) et majorée (respectivement minorée) alors $\left(u_n\right)_{n\in\mathbb{N}}$ converge.

4. Les suites arithmétiques et les suites géométriques

Suites arithmétiques
$\left(u_n\right)_{n\in\mathbb{N}}$ est une suite **arithmétique** s'il existe un réel r tel que, pour tout entier naturel n, $\boxed{u_{n+1} = u_n + r}$.
r s'appelle la **raison**.

Théorèmes
Si $\left(u_n\right)_{n\in\mathbb{N}}$ est une suite arithmétique de raison r alors, pour tout entier naturel n, $u_n = u_0 + nr$. D'une manière plus générale :

$$\boxed{u_m = u_p + (m-p)r} \text{ avec } m \geq p.$$

Si $\left(u_n\right)_{n\in\mathbb{N}}$ est une suite arithmétique de raison r alors, pour tout entier naturel n,

$$u_0 + u_1 + ... + u_n = \frac{(u_0 + u_n)(n+1)}{2} = \boxed{(n+1)u_0 + \frac{n(n+1)r}{2}}.$$

Plus généralement, $u_m + u_{m+1} + ... + u_n = \dfrac{(u_m + u_n)(n-m+1)}{2}$.

Cas particulier : $\boxed{1 + 2 + 3 + ... + n = \dfrac{n(n+1)}{2}}$.

Toute suite arithmétique de raison r avec $r > 0$ (respectivement $r < 0$) est croissante (respectivement décroissante) et diverge vers $+\infty$ (respectivement $-\infty$). Si $r = 0$ alors la suite est constante.

Suites géométriques

$(u_n)_{n\in\mathbb{N}}$ est une suite **géométrique** s'il existe un réel q tel que, pour tout entier naturel n, $\boxed{u_{n+1} = qu_n}$.

q s'appelle la **raison**.

Théorèmes

Si $(u_n)_{n\in\mathbb{N}}$ est une suite géométrique de raison q alors, pour tout entier naturel n, $u_n = u_0 q^n$. D'une manière plus générale :

$$\boxed{u_m = u_p q^{m-p}} \text{ avec } m \geq p.$$

• Si $(u_n)_{n\in\mathbb{N}}$ est une suite géométrique de raison q différente de 1 alors $\boxed{u_0 + u_1 + ... + u_n = u_0 \dfrac{1-q^{n+1}}{1-q}}$.

• Si $(u_n)_{n\in\mathbb{N}}$ est une suite géométrique de raison 1 alors $u_0 + u_1 + ... + u_n = (n+1)u_0$.

Cas particulier : $1 + q + q^2 + ... + q^n = \dfrac{1-q^{n+1}}{1-q}$ $(q \neq 1)$.

Toute suite géométrique de raison q avec $|q| < 1$ converge vers 0. Toute suite géométrique de raison q avec $|q| > 1$ ou $q = -1$ est divergente. Si $q = 1$ alors la suite est constante.

5. Les suites adjacentes

Définition

Deux suites $(u_n)_{n\in\mathbb{N}}$ et $(v_n)_{n\in\mathbb{N}}$ sont **adjacentes** si l'une est croissante, l'autre est décroissante et si $\lim\limits_{n\to+\infty}(u_n - v_n) = 0$.

Théorèmes

Si $(u_n)_{n\in\mathbb{N}}$ et $(v_n)_{n\in\mathbb{N}}$ sont adjacentes avec $(u_n)_{n\in\mathbb{N}}$ croissante et $(v_n)_{n\in\mathbb{N}}$ décroissante alors, pour tout entier naturel n, $u_n \leq v_n$.

Si $(u_n)_{n\in\mathbb{N}}$ et $(v_n)_{n\in\mathbb{N}}$ sont deux suites adjacentes alors elles convergent et elles ont la même limite.

III. Les équations différentielles

Théorèmes

Les solutions de l'équation différentielle $y' = ay$ $(a \in \mathbb{R})$ sont les fonctions $x \mapsto \lambda e^{ax}$ où λ est un réel quelconque.

Les solutions de l'équation différentielle $y' = ay + b$ $(a \in \mathbb{R}^*$ et $b \in \mathbb{R})$ sont les fonctions $x \mapsto \lambda e^{ax} - \dfrac{b}{a}$ où λ est un réel quelconque.

Soit (x_0, y_0) un couple de réels. Il existe une unique solution de l'équation différentielle $y' = ay + b$ vérifiant la condition initiale $y(x_0) = y_0$.

IV. L'intégration

1. L'aire d'un domaine

On note C_f la courbe représentative d'une fonction f dans un repère orthogonal (O, I, J). On appelle unité d'aire, l'aire du rectangle construit à partir des points O, I, J.

Définition

• Soit f une fonction continue et positive sur un intervalle $[a;b]$ $(a < b)$. On appelle **intégrale** de f entre a et b, notée $\displaystyle\int_a^b f(x)\,\mathrm{d}x$, l'aire de la surface délimitée par la courbe C_f, l'axe des abscisses et les deux droites d'équations $x = a$ et $x = b$. Les réels a et b s'appellent les **bornes** de l'intervalle.

- Si f est négative sur $[a\,;b]$, l'intégrale de f est l'opposée de l'aire de la surface délimitée par la courbe C_f, l'axe des abscisses et les deux droites d'équations $x = a$ et $x = b$.

Valeur moyenne d'une fonction

Soit f une fonction continue et positive sur un intervalle $[a\,;b]$ $(a < b)$. On appelle **valeur moyenne** de f entre a et b le réel $\dfrac{1}{b-a}\displaystyle\int_a^b f(x)\,\mathrm{d}x$.

2. Les propriétés d'une intégrale

Soit f et g deux fonctions continues sur un intervalle I.

Théorème

- Pour tout $a \in I$, $\boxed{\displaystyle\int_a^a f(x)\,\mathrm{d}x = 0}$.

- Pour tout $(a,b) \in I^2$, $\boxed{\displaystyle\int_a^b f(x)\,\mathrm{d}x = -\int_b^a f(x)\,\mathrm{d}x}$.

Relation de Chasles

Pour tout $(a,b,c) \in I^3$, $\boxed{\displaystyle\int_a^b f(x)\,\mathrm{d}x + \int_b^c f(x)\,\mathrm{d}x = \int_a^c f(x)\,\mathrm{d}x}$.

Linéarité de l'intégrale

Pour tout $(a,b) \in I^2$, pour tout $\lambda \in \mathbb{R}$,

$$\boxed{\int_a^b [f(x) + \lambda g(x)]\,\mathrm{d}x = \int_b^a f(x)\,\mathrm{d}x + \lambda \int_a^b g(x)\,\mathrm{d}x}.$$

Théorème

Soit f et g deux fonctions continues sur $[a\,;b]$ $(a \le b)$.

- Si $f \ge 0$ sur $[a\,;b]$ alors $\boxed{\displaystyle\int_a^b f(x)\,\mathrm{d}x \ge 0}$.

- Si $f \ge g$ sur $[a\,;b]$ alors $\boxed{\displaystyle\int_a^b f(x)\,\mathrm{d}x \ge \int_a^b g(x)\,\mathrm{d}x}$.

Inégalité de la moyenne

- Si, pour tout x de $[a\,;b]$, $m \le f(x) \le M$ alors

$$m(b-a) \le \int_a^b f(x)\,\mathrm{d}x \le M(b-a).$$

- Si, pour tout x de $[a\,;b]$, $|f(x)| \le M$ alors

$$\left| \int_a^b f(x)\,\mathrm{d}x \right| \le M(b-a).$$

- Si, pour tout x appartenant à I, $|f(x)| \le M$ alors, pour tout $(a,b) \in I \times I$, $\left| \int_a^b f(x)\,\mathrm{d}x \right| \le M|b-a|$.

3. Les primitives d'une fonction

Définition

F est une **primitive** de la fonction f sur I lorsque F est dérivable sur I et, pour tout x appartenant à I, $F'(x) = f(x)$.

Théorèmes

Toute fonction continue sur I admet des primitives sur I.

Si f admet une primitive F sur I alors l'ensemble des primitives de f sur I est l'ensemble des fonctions $x \mapsto F(x) + \lambda$ où λ est un réel quelconque.

Soit f une fonction continue sur I et a un élément de I.

La fonction $F : x \mapsto \int_a^x f(t)\,\mathrm{d}t$ est l'unique primitive de f qui s'annule en a. F est dérivable sur I et $F' = f$.

Soit f une fonction continue sur I contenant les éléments a et b et F une primitive de f sur I.

$$\int_a^b f(x)\,\mathrm{d}x = \left[F(x) \right]_a^b = F(b) - F(a).$$

4. Les calculs de primitives

Tableau des primitives

$f(x)$	$F(x)$	Validité
a	ax	$\mathbb{R}$
x^{α} $\alpha \in \mathbb{R} - \left\{-1\right\}$	$\dfrac{x^{\alpha+1}}{\alpha + 1}$	$\left]0\,;+\infty\right[$
$\dfrac{1}{x}$	$\ln(x)$	$\left]0\,;+\infty\right[$
$\cos(x)$	$\sin(x)$	$\mathbb{R}$
$\sin(x)$	$-\cos(x)$	$\mathbb{R}$
$1 + \tan^2(x)$	$\tan(x)$	$\left]-\dfrac{\pi}{2} + k\pi\,;\dfrac{\pi}{2} + k\pi\right[$ $k \in \mathbb{Z}$
e^x	e^x	$\mathbb{R}$

Fonction	Primitive	Validité
au'	au	
$u' + v'$	$u + v$	
$u'e^u$	e^u	
$\dfrac{u'}{u}$	$\ln|u|$	Intervalle où $u(x) \neq 0$
$u'u^{\alpha}$	$\dfrac{u^{\alpha+1}}{\alpha + 1}$	Intervalle où $u(x) > 0$
$\dfrac{u'}{\sqrt{u}}$	$2\sqrt{u}$	Intervalle où $u(x) > 0$

Intégration par parties

Soit u et v deux fonctions dérivables sur $\left[a\,;b\right]$ dont les dérivées u' et v' sont continues sur $\left[a\,;b\right]$.

$$\int_a^b u(x)\,v'(x)\,\mathrm{d}x = \left[u(x)\,v(x)\right]_a^b - \int_a^b u'(x)\,v(x)\ x.$$

5. Les calculs d'aires et de volumes

Théorèmes

Soit f et g deux fonctions continues sur $\left[a\,;b\right]$ $(a \leq b)$.

Si $f \leq g$ sur $\left[a\,;b\right]$ alors l'aire du domaine délimité par les courbes C_f, C_g et les droites d'équations $x = a$ et $x = b$ est, en unités d'aire, $\displaystyle\int_a^b [g(x) - f(x)]\,\mathrm{d}x$.

L'espace est muni d'un repère orthonormé $\left(O,I,J,K\right)$.

L'unité de volume est le volume du cube déterminé à partir des points O, I, J et K.

On considère un solide limité par les plans P_a et P_b d'équations $z = a$ et $z = b$ $(a \leq b)$.

On note $S(t)$ l'aire de la section du solide par le plan d'équation $z = t$ $(a \leq t \leq b)$. On suppose que S est une fonction continue sur $\left[a\,;b\right]$.

Le volume du solide est, en unités de volume, $\boxed{V = \displaystyle\int_a^b S(t)\,\mathrm{d}t}$.

Volumes

Volume d'un cylindre : $\boxed{V = \pi R^2 h}$.

Volume d'un cône : $\boxed{V = \dfrac{\pi R^2 h}{3}}$.

Volume d'une pyramide : $\boxed{V = \dfrac{Bh}{3}}$.

Volume d'un parallélépipède rectangle : $\boxed{V = L \times l \times h}$.

Volume d'une sphère : $\boxed{V = \dfrac{4}{3}\pi R^3}$.

GÉOMÉTRIE

I. La géométrie plane

1. Les configurations usuelles

a. *Les triangles*

Théorèmes

• Les trois **médiatrices** d'un triangle ABC sont concourantes en un point O appelé **centre du cercle circonscrit** au triangle.

• Les trois **médianes** d'un triangle sont concourantes en un point G appelé **centre de gravité** du triangle.

• Les trois **hauteurs** d'un triangle sont concourantes en un point H appelé **orthocentre** du triangle.

• Les trois **bissectrices** d'un triangle sont concourantes en un point I appelé **centre du cercle inscrit** dans le triangle.

Théorème de Pythagore

Si ABC est un triangle rectangle en A alors :

$$\boxed{BC^2 = AB^2 + AC^2}.$$

Réciproque du théorème de Pythagore

Si les côtés d'un triangle ABC vérifient $BC^2 = AB^2 + AC^2$ alors le triangle est rectangle en A.

Théorème de Thalès

Étant donnés deux droites (D) et (D') sécantes en A, M et N deux points de (D) distincts de A, M' et N' deux points de (D') distincts de A, si les droites (MM') et (NN') sont parallèles

alors $\boxed{\dfrac{AM}{AN} = \dfrac{AM'}{AN'} = \dfrac{MM'}{NN'}}.$

Corollaire

Dans un triangle, si une droite passe par le milieu d'un côté et est parallèle à un second côté, alors elle coupe le troisième côté en son milieu.

Réciproque du théorème de Thalès

Étant donnés deux droites (D) et (D') sécantes en A, M et N deux points de (D) distincts de A, M' et N' deux points de (D') distincts de A, si $\dfrac{AM}{AN} = \dfrac{AM'}{AN'}$ et si les points A, M et N et les points A, M' et N' sont alignés dans le même ordre alors les droites (MM') et (NN') sont parallèles.

Corollaire

Dans un triangle, si une droite passe par les milieux de deux côtés, alors elle est parallèle au troisième côté.

Les relations métriques dans le triangle

Soit ABC un triangle. On note $a = BC$, $b = AC$, $c = AB$, $\widehat{A} = \widehat{BAC}$, $\widehat{B} = \widehat{ABC}$, $\widehat{C} = \widehat{BCA}$, R le rayon du cercle circonscrit et S l'aire du triangle.

- $a^2 = b^2 + c^2 - 2bc \cos \widehat{A}$
- $b^2 = a^2 + c^2 - 2ac \cos \widehat{B}$
- $c^2 = b^2 + a^2 - 2ba \cos \widehat{C}$
- $\dfrac{a}{\sin \widehat{A}} = \dfrac{b}{\sin \widehat{B}} = \dfrac{c}{\sin \widehat{C}} = 2R$
- $S = \dfrac{1}{2bc \sin \widehat{A}} = \dfrac{1}{2ac \sin \widehat{B}} = \dfrac{1}{2ab \sin \widehat{C}}$.

Les triangles isométriques

- Deux triangles sont **isométriques** lorsque leurs côtés sont, deux à deux, de même longueur.
- Deux triangles sont isométriques lorsque l'un est l'image de l'autre par une isométrie.

• Deux triangles isométriques ont leurs angles deux à deux de mêmes mesures.

Théorème
• Si deux triangles ont un angle égal compris entre deux côtés de même longueur, alors ils sont isométriques.
• Si deux triangles ont un côté égal adjacent à deux angles égaux deux à deux, alors ils sont isométriques.

Les triangles semblables
Deux triangles sont **semblables** lorsque les angles de l'un ont les mêmes mesures que les angles de l'autre.

Théorèmes
• Si deux triangles ont deux angles respectivement de même mesure alors ils sont semblables.
• Si deux triangles sont semblables alors les côtés opposés aux angles de même mesure sont proportionnels.
• Si deux triangles ont leurs côtés respectivement proportionnels alors ces triangles sont semblables.
• Si deux triangles ont un angle de même mesure compris entre deux côtés respectivement proportionnels alors ils sont semblables.

b. *Les quadrilatères*

Le parallélogramme
Un **parallélogramme** est un quadrilatère dont les côtés opposés sont parallèles.

Théorèmes
Un parallélogramme possède les propriétés suivantes :
• Les côtés opposés sont isométriques.
• Les diagonales se coupent en leur milieu.
• Les angles opposés ont la même mesure.
• Deux angles consécutifs sont supplémentaires.

Le losange
Un **losange** est un parallélogramme dont deux côtés consécutifs sont isométriques.

Théorèmes
- Les quatre côtés d'un losange sont isométriques.
- Les diagonales d'un losange sont perpendiculaires.

Le rectangle
Un **rectangle** est un parallélogramme dont un angle est droit.

Théorèmes
- Les quatre angles d'un rectangle sont droits.
- Les diagonales d'un rectangle sont isométriques.

Le carré
Un **carré** est un rectangle et un losange. Il possède donc toutes les propriétés du rectangle et du losange.

c. *Le cercle*

Théorème de l'angle au centre
Dans un cercle, un **angle inscrit** égale la moitié de l'**angle au centre** associé (qui intercepte le même arc).

Théorème de l'angle inscrit
Dans un cercle deux angles inscrits qui interceptent le même arc sont égaux.

Théorème de l'angle droit
- Étant donné un cercle de diamètre $[AB]$, pour tout point M du cercle, différent de A et de B, le triangle AMB est rectangle en M.
- Le centre du cercle circonscrit à un triangle rectangle est le milieu de l'hypoténuse.

d. *Les aires*

Triangle : $\boxed{S = \dfrac{b \times h}{2}}$.

Trapèze : $\boxed{S = \dfrac{(B + b) \times h}{2}}$.

Parallélogramme : $\boxed{S = b \times h}$.

Disque : $\boxed{S = \pi \times R^2}$.

2. Les vecteurs

Théorèmes
Un vecteur $\vec{u}$ étant donné, quel que soit le point O, il existe un unique point M tel que $\overrightarrow{OM} = \vec{u}$.

Étant donnés quatre points A, B, C et D, on a l'équivalence suivante : $\left(\overrightarrow{AB} - \overrightarrow{DC} \right) \Leftrightarrow (ABCD$ est un parallélogramme).

Relation de Chasles
Quels que soient les points A, B et C, on a :

$$\boxed{\overrightarrow{AB} + \overrightarrow{BC} = \overrightarrow{AC}}.$$

Remarque : $\overrightarrow{AD} = \overrightarrow{AB} + \overrightarrow{AC}$ si, et seulement si, $ABDC$ est un parallélogramme.

Propriétés de l'addition
Quels que soient les vecteurs $\vec{u}$, $\vec{v}$ et $\vec{w}$, on a :
- $\vec{u} + \vec{v} = \vec{v} + \vec{u}$ (l'addition est commutative)
- $\vec{u} + \left(\vec{v} + \vec{w} \right) = \left(\vec{u} + \vec{v} \right) + \vec{w}$ (l'addition est associative)
- $\vec{u} + \vec{0} = \vec{0} + \vec{u}$ ($\vec{0}$ est appelé l'élément neutre de l'addition)
- $\vec{u} + \left(-\vec{u} \right) = \left(-\vec{u} \right) + \vec{u} = \vec{0}$ ($-\vec{u}$ est l'opposé du vecteur $\vec{u}$)

Différence de deux vecteurs
Étant donnés deux vecteurs $\vec{u}$ et $\vec{v}$, $\vec{u} - \vec{v} = \vec{u} + \left(-\vec{v} \right)$.

Propriétés de la multiplication par un réel

Quels que soient les vecteurs $\vec{u}$ et $\vec{v}$, quels que soient les réels α et β, on a :

- $(\alpha + \beta)\vec{u} = \alpha\vec{u} + \beta\vec{u}$
- $\alpha(\vec{u} + \vec{v}) = \alpha\vec{u} + \alpha\vec{v}$
- $(\alpha \times \beta)\vec{u} = \alpha(\beta\vec{u})$

- $1\vec{u} = \vec{u}$

Colinéarité

Deux vecteurs non nuls $\vec{u}$ et $\vec{v}$ sont **colinéaires** si, et seulement si, il existe un réel non nul α tel que $\vec{u} = \alpha\vec{v}$.

Le vecteur $\vec{0}$ est colinéaire à tout vecteur.

Théorèmes

- Les points A, B et C sont alignés si, et seulement si, les vecteurs $\overrightarrow{AB}$ et $\overrightarrow{AC}$ sont colinéaires.

- Les droites (AB) et (CD) sont parallèles si, et seulement si, les vecteurs $\overrightarrow{AB}$ et $\overrightarrow{CD}$ sont colinéaires.

3. La géométrie analytique

Définitions

Une **base** $(\vec{i}, \vec{j})$ est un couple de vecteurs non colinéaires.

Un **repère** $(O, \vec{i}, \vec{j})$ est un triplet où O est un point du plan et $(\vec{i}, \vec{j})$ une base.

Étant donnée une base du plan $(\vec{i}, \vec{j})$, pour tout vecteur $\vec{u}$, il existe un unique couple (x, y) de réels tels que $\vec{u} = x\vec{i} + y\vec{j}$. (x, y) est le couple des **coordonnées** du vecteur $\vec{u}$ dans la base $(\vec{i}, \vec{j})$.

On écrit $\vec{u}\begin{pmatrix} x \\ y \end{pmatrix}$.

Étant donné un repère du plan $\left(O, \vec{i}, \vec{j}\right)$, pour tout point M, il existe un unique couple (x, y) de réels tels que $\overrightarrow{OM} = x\vec{i} + y\vec{j}$. (x, y) est le couple des coordonnées du point M dans le repère $\left(O, \vec{i}, \vec{j}\right)$. On écrit $M\left(x, y\right)$.

Propriétés

Soit $\left(\vec{i}, \vec{j}\right)$ une base. On pose $\vec{u} \begin{pmatrix} x \\ y \end{pmatrix}$ et $\vec{v} \begin{pmatrix} x' \\ y' \end{pmatrix}$.

$$\boxed{\left(\vec{u} = \vec{0}\right) \Leftrightarrow (x = 0 \text{ et } y = 0)}$$

$$\boxed{\left(\vec{u} = \vec{v}\right) \Leftrightarrow \left(x = x' \text{ et } y = y'\right)}$$

$$\boxed{\vec{u} + \vec{v} \begin{pmatrix} x + x' \\ y + y' \end{pmatrix}}, \quad \boxed{\alpha\vec{u} \begin{pmatrix} \alpha x \\ \alpha y \end{pmatrix}} (\alpha \in \mathbb{R}), \quad \boxed{\vec{u} - \vec{v} \begin{pmatrix} x - x' \\ y - y' \end{pmatrix}}.$$

Soit $\left(O, \vec{i}, \vec{j}\right)$ un repère du plan.

On pose $A\left(x_A, y_A\right)$ et $B\left(x_B, y_B\right)$. On a alors $\boxed{\overrightarrow{AB} \begin{pmatrix} x_B - x_A \\ y_B - y_A \end{pmatrix}}$.

Si I est le milieu de $[AB]$ alors $\boxed{I\left(\dfrac{x_A + x_B}{2}, \dfrac{y_A + y_B}{2}\right)}$.

Condition de colinéarité

Soit $\left(\vec{i}, \vec{j}\right)$ une base. On pose $\vec{u} \begin{pmatrix} x \\ y \end{pmatrix}$ et $\vec{v} \begin{pmatrix} x' \\ y' \end{pmatrix}$.

$\vec{u}$ et $\vec{v}$ sont colinéaires si, et seulement si, $xy' - x'y = 0$.

$xy' - x'y$ est appelé le **déterminant** des vecteurs $\vec{u}$ et $\vec{v}$.

On le note $\det\left(\vec{u}, \vec{v}\right)$.

On écrit $\boxed{\det\left(\vec{u}, \vec{v}\right) = \begin{vmatrix} x & x' \\ y & y' \end{vmatrix} = xy' - x'y}$.

Équations de droites

Soit $\left(O, \vec{i}, \vec{j}\right)$ un repère du plan.

• Toute droite du plan admet une **équation cartésienne** de la forme $\boxed{ax + by + c = 0}$ avec $(a,b) \neq (0,0)$.

• Réciproquement, toute équation de la forme $ax + by + c = 0$ avec $(a,b) \neq (0,0)$ est l'équation d'une droite.

Vecteur directeur
La droite d'équation $ax + by + c = 0$ $(a,b) \neq (0,0)$ admet $\vec{u} \begin{pmatrix} -b \\ a \end{pmatrix}$ comme **vecteur directeur**.

Équation réduite d'une droite
Soit $(O, \vec{i}, \vec{j})$ un repère du plan. Toute droite du plan admet une équation de la forme : $\boxed{y = mx + p}$ appelée **équation réduite** ou de la forme : $\boxed{x = \alpha}$.

Vecteur directeur
• Si une droite a pour équation $y = mx + p$ alors un vecteur directeur de cette droite est $\vec{u} \begin{pmatrix} 1 \\ m \end{pmatrix}$. m s'appelle le **coefficient directeur** ou la **pente** de la droite.

• Si une droite a pour équation $x = \alpha$ $(\alpha \in \mathbb{R})$ alors un vecteur directeur est $\vec{j} \begin{pmatrix} 0 \\ 1 \end{pmatrix}$.

Parallélisme de deux droites
• Soit (D) et (D') deux droites d'équations : $ax + by + c = 0$ et $a'x + b'y + c' = 0$. $\boxed{(D) \parallel (D') \Leftrightarrow ab' - a'b = 0}$.

• Soit (D) et (D') deux droites d'équations : $y = mx + p$ et $y = m'x + p'$. $\boxed{(D) \parallel (D') \Leftrightarrow m = m'}$.

4. Le produit scalaire

Définition
Pour tous vecteurs $\vec{u}$ et $\vec{v}$, $\boxed{\vec{u}.\vec{v} = \dfrac{1}{2} \left(\|\vec{u} + \vec{v}\|^2 - \|\vec{u}\|^2 - \|\vec{v}\|^2 \right)}$.

Théorème

Pour tous vecteurs non nuls $\vec{u}$ et $\vec{v}$ tels que $\overrightarrow{AB} = \vec{u}$ et $\overrightarrow{AC} = \vec{v}$, $\boxed{\vec{u}.\vec{v} = AB \times AC \times \cos\left(\widehat{BAC}\right)}$.

Cas particulier : Si $\vec{u}$ et $\vec{v}$ sont colinéaires et de même sens alors $\vec{u}.\vec{v} = \|\vec{u}\| \times \|\vec{v}\|$. Si $\vec{u}$ et $\vec{v}$ sont colinéaires et de sens contraire alors $\vec{u}.\vec{v} = -\|\vec{u}\| \times \|\vec{v}\|$.

Propriétés

Pour tous vecteurs $\vec{u}$, $\vec{v}$ et $\vec{w}$, pour tout réel λ, on a :

$\vec{u}.\vec{v} = \vec{v}.\vec{u}$ (symétrie du produit scalaire)

$\left.\begin{array}{l} (\lambda\vec{u}).\vec{v} = \lambda\left(\vec{u}.\vec{v}\right) \\ (\vec{u} + \vec{v}).\vec{w} = \vec{u}.\vec{w} + \vec{v}.\vec{w} \\ \vec{u}.(\lambda\vec{v}) = \lambda\left(\vec{u}.\vec{v}\right) \\ \vec{u}.(\vec{v} + \vec{w}) = \vec{u}.\vec{v} + \vec{u}.\vec{w} \end{array}\right\}$ bilinéarité du produit scalaire

Définitions

• Le repère $\left(O, \vec{i}, \vec{j}\right)$ est orthogonal si $\vec{i}$ et $\vec{j}$ sont orthogonaux.

• Le repère $\left(O, \vec{i}, \vec{j}\right)$ est orthonormé (ou orthonormal) s'il est orthogonal et si $\vec{i}$ et $\vec{j}$ sont de norme 1.

Théorème

Soit $\left(O, \vec{i}, \vec{j}\right)$ un repère orthonormé, $\vec{u}\begin{pmatrix} x \\ y \end{pmatrix}$ et $\vec{v}\begin{pmatrix} x' \\ y' \end{pmatrix}$.

$$\boxed{\vec{u}.\vec{v} = xx' + yy'}.$$

Conséquences :

$$\boxed{\|\vec{u}\| = \sqrt{x^2 + y^2}} \quad \boxed{(\vec{u} \perp \vec{v}) \Leftrightarrow (xx' + yy' = 0)}$$

$A\left(x_A, y_A\right)$ et $B\left(x_B, y_B\right)$, $\boxed{AB = \sqrt{\left(x_B - x_A\right)^2 + \left(y_B - y_A\right)^2}}$.

Équations de droites

Vecteur normal

Soit $\vec{n}$ un vecteur non nul. $\vec{n}$ est un **vecteur normal** à la droite de vecteur directeur $\vec{u}$ lorsque $\vec{u}.\vec{n} = 0$.

Théorème

Soit $\left(O, \vec{i}, \vec{j}\right)$ un repère orthonormé du plan.

- Si $\vec{n} \begin{pmatrix} a \\ b \end{pmatrix}$ est un vecteur normal à la droite (D) alors une équation de (D) est du type $ax + by + c = 0$.

- Réciproquement, toute équation de la forme $ax + by + c = 0$ avec $\left(a, b\right) \neq \left(0, 0\right)$ est l'équation d'une droite (D) et $\vec{n} \begin{pmatrix} a \\ b \end{pmatrix}$ est un vecteur normal à la droite (D).

Orthogonalité de deux droites

Soit $\left(O, \vec{i}, \vec{j}\right)$ un repère orthonormé du plan.

- Soit (D) et (D') deux droites d'équations : $ax + by + c = 0$ et $a'x + b'y + c' = 0$. (D) et (D') sont orthogonales si, et seulement si, $\boxed{aa' + bb' = 0}$.

- Soit (D) et (D') deux droites d'équations : $y = mx + p$ et $y = m'x + p'$. (D) et (D') sont orthogonales si, et seulement si, $\boxed{mm' = -1}$.

Distance d'un point à une droite

Le plan est rapporté à un repère orthonormé.

Soit $A\left(x_A, y_A\right)$, (D) la droite d'équation $ax + by + c = 0$ et H le projeté orthogonal de A sur (D). La distance du point A à la droite (D) est $\boxed{AH = \dfrac{|ax_A + by_A + c|}{\sqrt{a^2 + b^2}}}$.

Théorème de la médiane

Soit A et B deux points du plan et I le milieu de $[AB]$. Pour tout point M du plan, $MA^2 + MB^2 = 2MI^2 + \dfrac{AB^2}{2}$.

Autrement dit : Dans un parallélogramme la somme des carrés des côtés égale la somme des carrés des diagonales.

Caractérisation d'un cercle

Le cercle de diamètre $[AB]$ est l'ensemble des points M tels que $\overrightarrow{MA}.\overrightarrow{MB} = 0$.

Équation d'un cercle

Le cercle de centre $\Omega\left(x_\Omega , y_\Omega\right)$ et de rayon R admet comme équation cartésienne : $\boxed{\left(x - x_\Omega\right)^2 + \left(y - y_\Omega\right)^2 = R^2}$.

5. Les transformations du plan

a. *Les généralités*

Définitions

Une **transformation** du plan est une application du plan dans lui-même qui à tout point M associe un unique point M' et réciproquement tout point N' est l'image d'un unique point N. Autrement dit : une transformation du plan est une bijection du plan.

On appelle **transformation réciproque** de la transformation f la transformation, notée f^{-1}, qui à tout point du plan associe son antécédent par f.

Isométrie

Une **isométrie** est une transformation qui conserve les distances.

Théorèmes
- La composée de deux isométries est une isométrie.
- La transformation réciproque d'une isométrie est une isométrie.

Définitions
- Un **déplacement** est une isométrie qui conserve les angles orientés.
- Un **antidéplacement** est une isométrie qui transforme un angle orienté en son opposé.

Théorèmes
- Tout déplacement est une translation ou une rotation.
- Tout antidéplacement est une réflexion ou une symétrie glissée.

- Toute isométrie qui a au moins trois points fixes non alignés est l'identité du plan.
- Toute isométrie qui a deux points fixes et qui n'est pas l'identité du plan est une réflexion.
- Toute isométrie qui a un unique point fixe est une rotation.
- Toute isométrie qui n'a pas de point fixe est une translation ou une symétrie glissée.

b. *Les translations*

Définition

La **translation** de vecteur $\vec{u}$ est la transformation du plan qui à tout point M du plan associe le point M' tel que $\boxed{\overrightarrow{MM'} = \vec{u}}$.

Théorèmes
- Une translation est un déplacement (donc une isométrie).
- La transformation réciproque d'une translation de vecteur $\vec{u}$ est la translation de vecteur $-\vec{u}$.

• La composée de deux translations $t_{\vec{u}}$ et $t_{\vec{u}'}$ de vecteurs respectifs $\vec{u}$ et $\vec{u}'$ est la translation de vecteur $\vec{u} + \vec{u}'$. On écrit $t_{\vec{u}} \circ t_{\vec{u}'} = t_{\vec{u}'} \circ t_{\vec{u}} = t_{\vec{u}+\vec{u}'}$.

• La composée deux réflexions d'axes parallèles (D) et (D') est une translation.

• Toute translation se décompose en produit de deux réflexions d'axes parallèles.

c. *Les rotations*

Définition

On appelle **rotation** de centre Ω et d'angle θ la transformation qui au point O associe le point O et, à tout point M distinct de

O, associe le point M' tel que $\begin{cases} \Omega M = \Omega M' \\ \left(\overrightarrow{\Omega M}, \overrightarrow{\Omega M'}\right) = \theta \ [2\pi] \end{cases}$.

Théorèmes

• Une rotation est un déplacement (donc une isométrie).

• La transformation réciproque de la rotation de centre Ω et d'angle θ est la rotation de centre Ω et d'angle $-\theta$.

• Soit M et N deux points distincts d'images respectives M' et N' par une rotation de centre Ω et d'angle θ. On a $\left(\overrightarrow{MN}, \overrightarrow{M'N'}\right) = \theta \ [2\pi]$.

• La composée de la rotation de centre Ω et d'angle θ et de la rotation de centre Ω et d'angle θ' est la rotation de centre Ω et d'angle $\theta + \theta'$.

• La composée de la rotation de centre Ω et d'angle θ et de la rotation de centre Ω' et d'angle θ' est :

     - une rotation de centre Ω'' et d'angle $\theta + \theta'$ si $\theta + \theta' \neq 0 \ [2\pi]$

     - une translation si $\theta + \theta' = 0 \ [2\pi]$.

• La composée de la rotation de centre Ω et d'angle non nul θ et d'une translation est une rotation d'angle θ .

Théorèmes

• La composée deux réflexions d'axes sécants est une rotation.

• Toute rotation se décompose en produit de deux réflexions d'axes sécants au centre de la rotation.

d. *Les réflexions*

Définition

On appelle **réflexion** (ou **symétrie axiale** ou **symétrie orthogonale**) d'axe (D) la transformation qui à tout point M de (D) associe le point M et qui, à tout point M n'appartenant pas à (D), associe le point M' tel que (D) soit la médiatrice de $[MM']$.

Théorèmes

• Une réflexion est un antidéplacement (donc une isométrie).

• La transformation réciproque de la réflexion d'axe (D) est la réflexion d'axe (D).

Remarque : En notant $s_{(D)}$ la réflexion d'axe (D), on a : $s_{(D)} \circ s_{(D)} = Id_P$.

e. *Les symétries glissées*

Définition

On appelle **symétrie glissée** d'axe (D) et de vecteur $\vec{u}$, $\vec{u}$ vecteur directeur de (D), la transformation $s = s_{(D)} \circ t_{\vec{u}}$ où $s_{(D)}$ est la réflexion d'axe (D) et $t_{\vec{u}}$ est la translation de vecteur $\vec{u}$.

Théorèmes

• $s_{(D)} \circ t_{\vec{u}} = t_{\vec{u}} \circ s_{(D)}$.

• Une symétrie glissée est un antidéplacement (donc une isométrie).

• La transformation réciproque de la symétrie glissée d'axe (D) et de vecteur $\vec{u}$ est la symétrie glissée d'axe (D) et de vecteur $-\vec{u}$.

f. *Les homothéties*

Définition

On appelle **homothétie** de centre Ω et de rapport k, réel non nul, la transformation qui à tout point M du plan associe le point M' du plan tel que $\boxed{\overrightarrow{\Omega M'} = k\,\overrightarrow{\Omega M}}$.

Théorèmes

• La transformation réciproque de l'homothétie de centre Ω et de rapport k est l'homothétie de centre Ω et de rapport $\dfrac{1}{k}$.

• Soit M et N deux points distincts d'images respectives M' et N' par l'homothétie de centre Ω et de rapport k. On a $\overrightarrow{M'N'} = k\,\overrightarrow{MN}$ donc $M'N' = |k|\,MN$.

Composée de deux homothéties

• La composée de l'homothétie de centre Ω et de rapport k et de l'homothétie de centre Ω et de rapport k' est l'homothétie de centre Ω et de rapport kk'.

• La composée de l'homothétie de centre Ω et de rapport k et de l'homothétie de centre Ω' et de rapport k' est :
• Une homothétie de rapport kk' si $kk' \neq 1$.
• Une translation si $kk' = 1$.

Composée d'une homothétie et d'une translation

La composée de l'homothétie de centre Ω et de rapport k et de la translation de vecteur $\vec{u}$ est une homothétie de rapport k.

g. *Les similitudes*

Définition

On appelle **similitude** plane de rapport k, réel strictement positif,

toute transformation du plan qui multiplie les distances par k.
Remarques : Une homothétie de rapport k est une similitude de rapport $|k|$. Une isométrie est une similitude de rapport 1.

Théorèmes

• La composée de deux similitudes de rapport k et k' est une similitude de rapport kk'.

• La transformation réciproque d'une similitude de rapport k est une similitude de rapport $\dfrac{1}{k}$.

Propriétés

Toute similitude de rapport k :

• transforme une droite en une droite, un segment en un segment, un triangle en un triangle semblable.

• conserve le barycentre d'un système de points pondérés.

• conserve les angles géométriques.

• transforme un cercle de rayon R en un cercle de rayon kR.

• multiplie les aires par k^2.

• conserve le parallélisme, l'orthogonalité et le contact.

Définition

• On appelle **similitude directe** toute similitude qui conserve les angles orientés.

• On appelle **similitude indirecte** toute similitude qui transforme un angle orienté en son opposé.

Théorèmes

• La composée de deux similitudes directes ou de deux similitudes indirectes est une similitude directe.

• La composée d'une similitude directe et d'une similitude indirecte est une similitude indirecte.

• La réciproque d'une similitude directe est une similitude directe.

• La réciproque d'une similitude indirecte est une similitude indirecte.

Écriture complexe d'une similitude

Soit f une transformation qui à tout point M d'affixe z associe le point M' d'affixe z'.

- f est une similitude directe si, et seulement si, $\boxed{z' = az + b}$ où a et b sont deux complexes $(a \neq 0)$.

- f est une similitude indirecte si, et seulement si, $\boxed{z' = a\overline{z} + b}$ où a et b sont deux complexes $(a \neq 0)$.

Théorème

Toute similitude directe est, soit une translation, soit la composée d'une rotation et d'une homothétie.

Forme réduite d'une similitude directe

Soit f une similitude directe qui n'est pas une translation.

- $f = h_{(\Omega,k)} \circ r_{(\Omega,\theta)} = r_{(\Omega,\theta)} \circ h_{(\Omega,k)}$ où $h_{(\Omega,k)}$ est l'homothétie de centre Ω et de rapport k et $r_{(\Omega,\theta)}$ est la rotation de centre Ω et d'angle θ.

- f possède un unique point fixe Ω appelé centre de la similitude.

- Pour tout point M distinct de Ω, on a $\left(\overrightarrow{\Omega M}, \overrightarrow{\Omega M'}\right) = \theta \ [2\pi]$.

- f est appelée la **similitude directe de centre** Ω, d'**angle** θ et de **rapport** k.

- Pour tout couple (A, B) de points distincts, $\left(\overrightarrow{AB}, \overrightarrow{f(A)f(B)}\right) = \theta \ [2\pi]$.

Théorème

Soit A, B, C et D quatre points du plan tels que $A \neq B$ et $C \neq D$. Il existe une unique similitude directe f telle que : $f(A) = C$ et $f(B) = D$.

Écriture complexe d'une similitude directe

Soit f une transformation qui à tout point M d'affixe z associe le point M' d'affixe z' tel que :

$$\boxed{z' = az + b} \quad (a \neq 0)$$

- Si a est réel alors :
    - Si $a = 1$ alors f est la translation de vecteur d'affixe b.
    - Si $a \neq 1$ alors f est l'homothétie de centre Ω d'affixe ω $\left(\omega = \dfrac{b}{1-a} \right)$ et de rapport a.

- Si a est un complexe non réel.
    - Si $|a| = 1$ alors f est la rotation de centre Ω d'affixe ω $\left(\omega = \dfrac{b}{1-a} \right)$ et d'angle $\arg(a)$.
    - Si $|a| \neq 1$ alors f est la similitude directe de centre Ω d'affixe ω $\left(\omega = \dfrac{b}{1-a} \right)$, d'angle $\theta = \arg(a)$ et de rapport $k = |a|$.

Théorème

Toute similitude indirecte peut s'écrire comme composée d'une similitude directe et d'une réflexion.

II. La géométrie dans l'espace

1. Le barycentre

Définition

On appelle **barycentre** de l'ensemble de points pondérés $\{(A_1, \alpha_1), \ldots, (A_n, \alpha_n)\}$ avec $\displaystyle\sum_{i=1}^{n} \alpha_i \neq 0$, l'unique point G de l'espace tel que : $\alpha_1 \overrightarrow{GA_1} + \ldots + \alpha_n \overrightarrow{GA_n} = \vec{0}$.

Définition

On appelle **isobarycentre** des points A_1,..., A_n, le barycentre des points A_1,..., A_n affectés d'un même coefficient non nul.

Remarques : L'isobarycentre de deux points distincts A et B est le milieu de $[AB]$. L'isobarycentre de trois points non alignés A, B et C est le centre de gravité du triangle ABC.

Réduction d'une somme vectorielle

Soit $\left\{(A_1,\alpha_1),...,(A_n,\alpha_n)\right\}$ un ensemble de points pondérés.

- Si $\displaystyle\sum_{i=1}^{n}\alpha_i \neq 0$ alors, pour tout point M de l'espace, on a :

$$\boxed{\sum_{i=1}^{n}\alpha_i\overrightarrow{MA_i} = \left(\sum_{i=1}^{n}\alpha_i\right)\overrightarrow{MG}}$$

où G est le barycentre de $\left\{(A_1,\alpha_1),...,(A_n,\alpha_n)\right\}$.

- Si $\displaystyle\sum_{i=1}^{n}\alpha_i = 0$ alors $\displaystyle\sum_{i=1}^{n}\alpha_i\overrightarrow{MA_i}$ est un vecteur constant.

Coordonnées du barycentre

L'espace est muni d'un repère $\left(O,\vec{i},\vec{j},\vec{k}\right)$. Soit G le barycentre de $\left\{(A_1,\alpha_1),...,(A_n,\alpha_n)\right\}$, (x_i,y_i,z_i) les coordonnées de A_i et (x_G,y_G,z_G) les coordonnées de G. On a :

$$x_G = \frac{1}{\displaystyle\sum_{i=1}^{n}\alpha_i}\sum_{i=1}^{n}\alpha_i x_i\ ,\ y_G = \frac{1}{\displaystyle\sum_{i=1}^{n}\alpha_i}\sum_{i=1}^{n}\alpha_i y_i\ \text{et}\ z_G = \frac{1}{\displaystyle\sum_{i=1}^{n}\alpha_i}\sum_{i=1}^{n}\alpha_i z_i\ .$$

Propriété

On peut multiplier ou diviser par un même nombre non nul tous les coefficients d'un ensemble de points pondérés sans changer le barycentre.

Propriété d'associativité

Si G est le barycentre de $\left\{(A_1,\alpha_1),...,(A_n,\alpha_n)\right\}$ avec $\displaystyle\sum_{i=1}^{n}\alpha_i \neq 0$ et si H est le barycentre de $\left\{(A_1,\alpha_1),...,(A_p,\alpha_p)\right\}$ $(1 < p < n)$ avec $\sum_{i=1}^{p}\alpha_i \neq 0$ alors G est le barycentre de :

$$\left\{\left(H,\sum_{i=1}^{p}\alpha_i\right),(A_{p+1},\alpha_{p+1}),...,(A_n,\alpha_n)\right\}.$$

Caractérisation d'une droite

Soit A et B deux points distincts de l'espace. L'ensemble des barycentres des points A et B est la droite (AB).

Caractérisation d'un segment

Soit A et B deux points distincts de l'espace. L'ensemble des barycentres des points A et B affectés de coefficients de même signe est le segment $[AB]$.

Caractérisation d'un plan

Soit A, B et C trois points non alignés de l'espace.
L'ensemble des barycentres des points A, B et C est le plan (ABC).

Caractérisation d'un triangle

Soit A, B et C trois points non alignés de l'espace.
L'ensemble des barycentres des points A, B et C affectés de coefficients tous strictement positifs ou tous strictement négatifs est l'intérieur du triangle ABC.

2. Le produit scalaire

Définition

On utilise la définition du produit scalaire dans le plan.
Pour tous vecteurs non nuls $\vec{u}$ et $\vec{v}$ tels que $\overrightarrow{AB} = \vec{u}$ et $\overrightarrow{AC} = \vec{v}$, $\vec{u}.\vec{v} = AB \times AC \times \cos\left(\widehat{BAC}\right)$.

Propriétés

Toutes les propriétés du produit scalaire dans le plan s'appliquent dans l'espace.

Théorème

Soit $\left(O, \vec{i}, \vec{j}, \vec{k}\right)$ un repère orthonormé, $\vec{u} \begin{pmatrix} x \\ y \\ z \end{pmatrix}$ et $\vec{v} \begin{pmatrix} x' \\ y' \\ z' \end{pmatrix}$.

$$\boxed{\vec{u}.\vec{v} = xx' + yy' + zz'} \quad \boxed{\|\vec{u}\| = \sqrt{x^2 + y^2 + z^2}}.$$

$$\boxed{\left(\vec{u} \perp \vec{v}\right) \Leftrightarrow \left(xx' + yy' + zz' = 0\right)}.$$

$$\boxed{AB = \sqrt{\left(x_B - x_A\right)^2 + \left(y_B - y_A\right)^2 + \left(z_B - z_A\right)^2}}.$$

3. L'orthogonalité et le parallélisme dans l'espace

Vecteurs orthogonaux
Deux vecteurs de l'espace sont orthogonaux si, et seulement si, leur produit scalaire est nul. $\boxed{\vec{u} \perp \vec{v} \Leftrightarrow \vec{u}.\vec{v} = 0}$.

Définition
• Deux droites de l'espace sont orthogonales si, et seulement si, leurs vecteurs directeurs sont orthogonaux.
• Une droite est orthogonale à un plan si, et seulement si, elle est orthogonale à deux droites sécantes du plan.

Théorème
Si une droite est orthogonale à un plan alors elle est orthogonale à toutes les droites de ce plan.

Vecteur normal
Soit $\vec{u}$ un vecteur non nul de l'espace.
$\vec{u}$ est un vecteur **normal** au plan P si, et seulement si, il est orthogonal à tous les vecteurs du plan.

Définition
Deux plans sont perpendiculaires si, et seulement si, l'un contient une droite orthogonale à l'autre.

Théorème

Deux plans sont perpendiculaires si, et seulement si, un vecteur normal à un plan est orthogonal à un vecteur normal à l'autre plan.

Définition

Deux plans sont parallèles s'ils admettent un même vecteur normal.

Théorème

L'intersection de deux plans non parallèles est une droite.

Droites coplanaires

Deux droites sont coplanaires si elles sont incluses dans un même plan.

Définition

Une droite est parallèle à un plan si, et seulement si, un vecteur directeur de la droite est orthogonal à un vecteur normal au plan.

4. Les équations d'un plan

L'espace est rapporté à un repère orthonormé.

Théorèmes

- Tout plan admet une **équation cartésienne** du type $\boxed{ax + by + cz + d = 0}$ où $(a, b, c) \neq (0, 0, 0)$.

- Réciproquement, toute équation $ax + by + cz + d = 0$ où $(a, b, c) \neq (0, 0, 0)$ est celle d'un plan admettant $\vec{u} \begin{pmatrix} a \\ b \\ c \end{pmatrix}$ comme vecteur normal.

- L'espace est rapporté à un repère orthonormé.

Soit $A\left(x_A, y_A, z_A\right)$, P le plan d'équation $ax + by + cz + d = 0$ et H

le projeté orthogonal de A sur P. La distance du point A au plan P est $\boxed{AH = \dfrac{|ax_A + by_A + cz_A + d|}{\sqrt{a^2 + b^2 + c^2}}}$.

Définition
Le plan médiateur du segment $[AB]$ est le plan passant par le milieu de $[AB]$ et perpendiculaire à la droite (AB).

5. Les droites de l'espace

Système d'équations cartésiennes d'une droite
Toute droite de l'espace peut être définie comme l'intersection de deux plans d'équations respectives $ax + by + cz + d = 0$ et $a'x + b'y + c'z + d' = 0$. Un **système d'équations cartésiennes** de la droite est alors $\boxed{\begin{cases} ax + by + cz + d = 0 \\ a'x + b'y + c'z + d' = 0 \end{cases}}$.

Système de représentations paramétriques d'une droite
Toute droite de l'espace peut être définie par un point et un vecteur directeur. Une **représentation paramétrique** de la droite passant par le point $A(x_A, y_A, z_A)$ et de vecteur directeur $\vec{u}\begin{pmatrix} a \\ b \\ c \end{pmatrix}$ est $\boxed{\begin{cases} x = x_A + at \\ y = y_A + bt \\ z = z_A + ct \end{cases}}$ $(t \in \mathbb{R})$.

6. Les surfaces

Cylindre d'axe (Oz)
Une équation du **cylindre** d'axe (Oz) et de rayon R est $\boxed{x^2 + y^2 = R^2}$.

Sections d'un cylindre d'axe (Oz)
• La section du cylindre d'axe (Oz) et de rayon R par le plan P d'équation $z = a$ est le cercle de centre $\Omega\,(0, 0, a)$ et de rayon R contenu dans le plan P.

• La section du cylindre d'axe (Oz) et de rayon R par le plan P d'équation $x = a$ ou $y = a$ est la réunion de deux droites parallèles à (Oz) ou bien une droite parallèle à (Oz) ou bien l'ensemble vide.

Cône d'axe (Oz)

Une équation du **cône** de sommet O et d'axe (Oz) est $\boxed{x^2 + y^2 = \lambda z^2}$.

Soit A un point du cône distinct de O. La droite (AO) est une **génératrice** du cône.

Sections d'un cône d'axe (Oz)

• La section du cône d'axe (Oz) et de sommet O par le plan P d'équation $z = a$ est le point O ou bien un cercle de centre $\Omega\,(0,0,a)$ appartenant à (Oz) et contenu dans le plan P.

• La section du cône d'axe (Oz) et de sommet O par le plan P d'équation $x = a$ ou $y = a$ est la réunion de deux droites sécantes en O ou bien une hyperbole.

Paraboloïde d'axe (Oz)

Une équation du **paraboloïde** d'axe (Oz) est $\boxed{x^2 + y^2 = z}$.

Sections d'un paraboloïde d'axe (Oz)

• La section du paraboloïde d'axe (Oz) d'équation $x^2 + y^2 = z$ par le plan P d'équation $z = a$ est un cercle de centre Ω appartenant à (Oz) et contenu dans le plan P ou bien le point O ou bien l'ensemble vide.

• La section du paraboloïde d'axe (Oz) d'équation $x^2 + y^2 = z$ par le plan P d'équation $x = a$ ou $y = a$ est une parabole contenu dans le plan P et d'axe (Oz).

Paraboloïde hyperbolique

La surface d'équation $\boxed{z = xy}$ est un **paraboloïde hyperbolique**.

Sections d'un paraboloïde hyperbolique

- La section du paraboloïde hyperbolique d'équation $z = xy$ par le plan P d'équation $z = a$ est une hyperbole ou bien la réunion des droites (Ox) et (Oy).

- La section du paraboloïde hyperbolique d'équation $z = xy$ par le plan P d'équation $x = a$ ou $y = a$ est une droite.

LES PROBABILITÉS

I. Le dénombrement

1. Le langage des ensembles

Définition

Soit A et B deux **sous-ensembles (parties)** d'un ensemble E.

$$A \cup B = \left\{ x \in E \,;\, x \in A \text{ ou } x \in B \right\} \quad A \cap B = \left\{ x \in E \,;\, x \in A \text{ et } x \in B \right\}$$

$$\overline{A} = \left\{ x \in E \,;\, x \notin A \right\}$$

Remarque : $A \cup \overline{A} = E$, $A \cap \overline{A} = \varnothing$.

Définition

On note $P(E)$ l'ensemble de toutes les parties de E.

Partition de E

Les parties $A_1, ..., A_n$ de E forment une **partition** de E si, et seulement si, elles sont disjointes deux à deux et leur réunion égale E.

Produit cartésien

On appelle **produit cartésien** des deux ensembles E et F, l'ensemble de couples (x, y) où $x \in E$ et $y \in F$.

On écrit $\boxed{E \times F = \left\{ (x, y) \,;\, x \in E \text{ et } y \in F \right\}}$.

Remarque : $E_1 \times ... \times E_n = \left\{ (x_1, ..., x_n) \,;\, \forall i \in [\![1, n]\!], x_i \in E_i \right\}$

Un élément de $E_1 \times ... \times E_n$ s'appelle un $n -$ **uplet**.

Cas particulier : Un élément de $E \times ... \times E = E^n$ s'appelle une $n -$ **liste**.

Le cardinal d'un ensemble

On appelle **cardinal** d'un ensemble fini E le nombre d'éléments de cet ensemble. On le note $\text{Card} E$.

Remarque : Si $P(E)$ est l'ensemble de toutes les parties de E alors $\boxed{\text{Card}(P(E)) = 2^{\text{Card}(E)}}$.

Propriété

$$\boxed{\text{Card}(A \cup B) = \text{Card}(A) + \text{Card}(B) - \text{Card}(A \cap B)}.$$

Remarque : Si A et B sont deux ensembles disjoints alors $\text{Card}(A \cup B) = \text{Card}(A) + \text{Card}(B)$.

Cardinal du produit cartésien

$$\boxed{\text{Card}(E_1 \times ... \times E_n) = \text{Card}(E_1) \times ... \times \text{Card}(E_n)}.$$

2. Le dénombrement des $n-$listes

Théorème

Soit A un ensemble et p un entier naturel non nul. On a :

$$\boxed{\text{Card}(A^p) = (\text{Card} A)^p}$$

3. Le dénombrement des arrangements

Définition

Un **arrangement** de p éléments de E est une $p-$liste d'éléments deux à deux distincts de E. Le nombre d'arrangements de p éléments de E est : $\boxed{n(n-1)...(n-p+1) = \dfrac{n!}{(n-p)!}}$.

Remarque : Pour tout entier naturel non nul n, on a : $n! = n(n-1) \times ... \times 2 \times 1$ et $0! = 1$.

Définition

Une **permutation** des n éléments de A est un arrangement de n éléments de A. Le nombre de permutations de A est $n!$.

4. Le dénombrement des combinaisons

Définition

Une **combinaison** de p éléments de E est une partie de E ayant p éléments.

Le nombre de combinaisons de p éléments de E est noté $\binom{n}{p}$.

Formule

Pour tout entier naturel n, pour tout p appartenant à $\llbracket 0, n \rrbracket$,

$$\boxed{\binom{n}{p} = \frac{n!}{p!(n-p)!}}.$$

Propriétés

$$\boxed{\binom{n}{0} = 1, \binom{n}{1} = n, \binom{n}{n} = 1, \binom{n}{p} = \binom{n}{n-p}}.$$

Relation de Pascal

Pour tout $n \in \mathbb{N}^*$, pour tout $p \in \llbracket 1, n-1 \rrbracket$,

$$\boxed{\binom{n}{p} = \binom{n-1}{p} + \binom{n-1}{p-1}}.$$

Triangle de Pascal

n ╲ p	0	1	2	3	4	5	6	7
0	1							
1	1	1						
2	1	2	1					
3	1	3	3	1				
4	1	4	6	4	1			
5	1	5	10	10	5	1		
6	1	6	15	20	15	6	1	
7	1	7	21	35	35	21	7	1

Le binôme de Newton

Soit a, b deux complexes et n un entier naturel non nul.

$$\sum_{k=0}^{n} \binom{n}{k} a^{n-k} b^{k} = \sum_{k=0}^{n} \binom{n}{k} a^{k} b^{n-k} = (a+b)^{n}$$.

II. Les probabilités

1. Le langage des probabilités

Définitions

On considère une expérience aléatoire.

- L'ensemble des résultats, noté Ω, s'appelle l'**univers**.
- Un résultat s'appelle un **événement élémentaire**.
- Un sous-ensemble de l'univers est un **événement**.
- **L'événement impossible** est l'ensemble vide.
- **L'événement certain** est l'univers.
- Deux événements A et B sont **incompatibles** lorsque $A \cap B = \varnothing$.
- Deux événements A et B sont **contraires** lorsque $A \cap B = \varnothing$ et $A \cup B = \Omega$. On écrit $B = \overline{A}$.

Une probabilité est une application P de $P(\Omega)$ dans $\left[0;1\right]$ telle que :

- $P(\Omega) = 1$
- Pour tout couple (A, B) de $P(\Omega) \times P(\Omega)$ tel que $A \cap B = \varnothing$, $P(A \cup B) = P(A) + P(B)$.

Propriétés

- $P\left(\overline{A}\right) = 1 - P(A)$
- $P(\varnothing) = 0$
- $P(A \cup B) = P(A) + P(B) - P(A \cap B)$.

Équiprobabilité

On dit qu'il y a **équiprobabilité** des événements élémentaires quand tous les événements élémentaires ont la même probabilité.

On a alors $\boxed{P(A) = \dfrac{\operatorname{Card}(A)}{\operatorname{Card}(\Omega)}}$.

2. Les probabilités conditionnelles

Définitions

On dit que les événements A et B sont **indépendants** si, et seulement si, $P(A \cap B) = P(A) \times P(B)$.

On appelle **probabilité conditionnelle** de B sachant A où A est un événement de probabilité non nulle, la probabilité que B soit réalisé sachant que A est réalisé. On la note $P(B/A)$ ou $P_A(B)$.

Propriétés

$$\boxed{P_A(B) = \dfrac{P(A \cap B)}{P(A)}} \; (P(A) \neq 0).$$

$$\boxed{P_A(B)P(A) = P_B(A)P(B)}.$$

Partition d'un ensemble

On dit que les événements $A_1, ..., A_n$ constituent une **partition** de Ω lorsque :

- Chaque A_i a une probabilité non nulle.
- Les événements A_i sont deux à deux incompatibles.
- La réunion des événements A_i égale Ω.

Formule des probabilités totales

Soit $A_1, ..., A_n$ une partition de Ω. Pour tout événement B de Ω, on a : $\boxed{P(B) = P_{A_1}(B)P(A_1) + ... + P_{A_n}(B)P(A_n)}$.

3. Les variables aléatoires discrètes

Définition

Soit Ω un univers fini muni d'une probabilité P. On appelle variable aléatoire discrète sur Ω toute application X de Ω sur $\mathbb{R}$.

Notation : L'ensemble $\{\omega \in \Omega; X(\omega) = x\}$ se note $(X = x)$.

L'ensemble $\{\omega \in \Omega; X(\omega) \leq x\}$ se note $(X \leq x)$.

Loi de probabilité

Soit X une variable aléatoire sur Ω. On appelle **loi de probabilité** de X, l'application f de $\mathbb{R}$ dans $[0;1]$ définie par $f(x) = P(X = x)$.

Remarque : En général, on présente les résultats sous la forme d'un tableau. Notons $X(\Omega) = \{x_1; ...; x_n\}$.

x	x_1	x_2	...	x_{n-1}	x_n
$P(X = x)$	p_1	p_2	...	p_{n-1}	p_n

Espérance

Soit X une variable aléatoire sur Ω. On appelle **espérance** de X, notée $E(X)$, le réel : $\boxed{E(X) = \sum_{i=1}^{n} x_i P(X = x_i)}$.

Variance

Soit X une variable aléatoire sur Ω. On appelle **variance** de X, notée $V(X)$, le réel : $\boxed{V(X) = \sum_{i=1}^{n} (x_i - E(X))^2 P(X = x_i)}$

L'écart type

Soit X une variable aléatoire sur Ω. On appelle **écart type** de X, notée $\sigma(X)$, le réel $\boxed{\sigma(X) = \sqrt{V(X)}}$.

Loi uniforme

On dit que X suit une **loi uniforme discrète** sur Ω lorsque $X(\Omega) = \{x_1;...;x_n\}$ et $\boxed{P(X = x_1) = ... = P(X = x_n) = \dfrac{1}{n}}$.

Loi de Bernoulli

On dit que X suit une **loi de Bernoulli** de paramètre p lorsque $X(\Omega) = \{0;1\}$, $\boxed{P(X = 1) = p}$ et $\boxed{P(X = 0) = 1 - p}$.

Théorème

Si X suit une **loi de Bernoulli** de paramètre p alors :
$\boxed{E(X) = p}$ et $\boxed{V(X) = p(1-p)}$.

Loi binomiale

On dit que X suit une **loi binomiale** de paramètres n et p lorsque $X(\Omega) = [\![0;n]\!]$ et, pour tout $k \in [\![0;n]\!]$, on a :
$$\boxed{P(X = k) = \binom{n}{k} p^k (1-p)^{n-k}}.$$

Théorème

Si X suit une **loi binomiale** de paramètres n et p alors :
$$\boxed{E(X) = np} \text{ et } \boxed{V(X) = np(1-p)}.$$

4. Les variables aléatoires continues

Définitions

Soit I un intervalle de $\mathbb{R}$. On appelle **densité de probabilité** sur I toute fonction f définie sur I telle que :

- f est continue sur I.

- Pour tout $x \in I$, $f(x) \geq 0$.

- $\displaystyle\int_I f(x)\,dx = 1$. Autrement dit : l'aire du domaine délimité par l'axe des abscisses, la courbe représentative de f et l'intervalle I égale 1.

Soit X une variable aléatoire admettant une densité f sur l'intervalle $[a;b]$. On a $\boxed{P(a \leq X \leq b) = \int_a^b f(t)\,\mathrm{d}t}$.

On écrit aussi $\boxed{P([a;b]) = \int_a^b f(t)\,\mathrm{d}t}$. En généralisant, si I est un intervalle quelconque $\boxed{P(I) = \int_I f(x)\,\mathrm{d}x}$.

Une variable aléatoire X suit une **loi uniforme** sur $[a;b]$ si la densité de probabilité est une fonction constante égale à $\dfrac{1}{b-a}$.

Théorème
Si X suit une loi uniforme sur $[a;b]$ alors
$$\boxed{P(\alpha \leq X \leq \beta) = \frac{\beta - \alpha}{b - a}}.$$

Définition
Une variable aléatoire X suit une **loi exponentielle** de paramètre λ, réel strictement positif, si la densité de probabilité est la fonction définie sur $[0;+\infty[$ par $f(x) = \lambda e^{-\lambda x}$.

Théorème
Si X suit une loi exponentielle de paramètre λ alors
$$\boxed{P(\alpha \leq X \leq \beta) = e^{-\lambda \alpha} - e^{-\lambda \beta}}.$$

ARITHMÉTIQUE

I. La division euclidienne

1. La divisibilité

Dans toute la suite, sauf avis contraire, nous parlerons d'entiers relatifs.

Définition

a est un **multiple** de b si, et seulement si, il existe un entier c tel que $a = bc$. On dit aussi que b **divise** a ou que b est un **diviseur** de a.

Propriété de la relation de divisibilité
- Si a divise b alors $|a| \leq |b|$.
- Si b divise a et si a divise b alors $a = b$ ou $a = -b$.
- Si a divise b et si b divise c alors a divise c.
- Si a divise b et si a divise c alors a divise toute combinaison linéaire de b et c.

Conséquence : Les seuls diviseurs de 1 sont 1 et -1.

2. La division euclidienne

Définition

Soit a un entier naturel et b un entier naturel non nul. Il existe un unique couple d'entiers naturels $\left(q, r\right)$ tels que : $a = bq + r$ et $0 \leq r < b$. a s'appelle le **dividende**, b le **diviseur**, q le **quotient** et r le **reste**.

Extension : Soit a un entier relatif et b un entier relatif non nul. Il existe un unique couple d'entiers relatifs $\left(q, r\right)$ tels que : $a = bq + r$ et $0 \leq r < |b|$.

3. Les congruences

Définition
Soit n un entier naturel non nul. a et b sont **congrus** modulo n si, et seulement si, a et b ont le même reste dans la division par n. On écrit $a \equiv b$ modulo n ou $a \equiv b \ (n)$.

Propriétés
- $a \equiv b \ (n) \Leftrightarrow b \equiv a \ (n)$.
- $a \equiv b \ (n) \Leftrightarrow b - a \equiv 0 \ (n)$
- $a \equiv b \ (n) \Leftrightarrow n$ divise $a - b$.
- Si $\begin{cases} a \equiv b \ (n) \\ b \equiv c \ (n) \end{cases}$ alors $a \equiv c \ (n)$.
- Si $a \equiv b \ (n)$ alors $ac \equiv bc \ (n)$.
- Si $\begin{cases} a \equiv b \ (n) \\ a' \equiv b' \ (n) \end{cases}$ alors $a + a' \equiv b + b' \ (n)$.
- Si $\begin{cases} a \equiv b \ (n) \\ a' \equiv b' \ (n) \end{cases}$ alors $a - a' \equiv b - b' \ (n)$.
- Si $\begin{cases} a \equiv b \ (n) \\ a' \equiv b' \ (n) \end{cases}$ alors $aa' \equiv bb' \ (n)$.
- Si $a \equiv b \ (n)$ alors $a^p \equiv b^p \ (n)$ $(p \in \mathbb{N})$.

II. PGCD et PPCM

1. Le PGCD

Théorème et définition
Soit a et b deux entiers relatifs non nuls. L'ensemble des diviseurs communs à a et b admet un plus grand élément, on le note $\boxed{\text{PGCD}(a,b)}$ ou $\boxed{a \wedge b}$.

Définition
Deux entiers relatifs sont **premiers** entre eux si, et seulement si, leur PGCD est 1.

Théorèmes

Soit a et b deux entiers relatifs non nuls.

$\mathrm{PGCD}(a,b) = d$ si, et seulement si, il existe deux entiers relatifs a' et b' premiers entre eux tels que $a = da'$ et $b = db'$.

Soit a, b, c et d quatre entiers relatifs tels que $a = bc + d$. On a alors $\mathrm{PGCD}(a,b) = \mathrm{PGCD}(b,d)$.

Algorithme d'Euclide

Soit a, b deux entiers relatifs non nuls. La suite $(r_n)_{n \in \mathbb{N}}$ définie par :

$r_0 = |b|$, r_1 est le reste de la division de a par b, si $r_1 \neq 0$ alors r_2 est le reste de la division euclidienne de b par r_1, si $r_2 \neq 0$ alors r_3 est le reste de la division euclidienne de r_1 par r_2,..., si $r_{n-1} \neq 0$ alors r_n est le reste de la division euclidienne de r_{n-2} par r_{n-1}. La suite $(r_n)_{n \in \mathbb{N}}$ est une suite finie. Le dernier reste non nul est $\mathrm{PGCD}(a,b)$.

Propriétés

Soit a, b et k trois deux entiers relatifs non nuls.

$$\boxed{\mathrm{PGCD}(ka, kb) = |k|\,\mathrm{PGCD}(a,b)}.$$

Théorème

Soit a et b deux entiers relatifs non simultanément nuls. Il existe deux entiers relatifs u et v tels que :

$$\boxed{au + bv = \mathrm{PGCD}(a,b)}.$$

Théorème de Bézout

a et b sont deux entiers premiers entre eux si, et seulement si, il existe deux entiers relatifs u et v tels que $\boxed{au + bv = 1}$.

Remarque : Pour déterminer u et v, on utilise l'algorithme d'Euclide.

Théorème de Gauss

Soit a, b et c trois entiers naturels non nuls. Si a divise bc et si a et b sont premiers entre eux alors a divise c.

Conséquences :

- Si $\begin{cases} a \text{ divise c} \\ b \text{ divise c} \\ \text{PGCD}(a,b) = 1 \end{cases}$ alors ab divise c.

- Si $\begin{cases} p \text{ premier} \\ p \text{ divise } ab \end{cases}$ alors p divise a ou p divise b.

- Si $\begin{cases} p \text{ premier} \\ \text{PGCD}(p,a) = 1 \\ \text{PGCD}(p,b) = 1 \end{cases}$ alors $\text{PGCD}(p,ab) = 1$.

2. Le PPCM

Théorème et définition

Soit a et b deux entiers relatifs non nuls. L'ensemble des multiples strictement positifs communs à a et b admet un plus petit élément. On le note $\boxed{\text{PPCM}(a,b)}$ ou $\boxed{a \vee b}$.

Propriétés

Soit a, b et k trois entiers relatifs non nuls. On a :

$$\boxed{\text{PPCM}(ka,kb) = |k|\,\text{PPCM}(a,b)}.$$

Soit a et b deux entiers relatifs non nuls. On a :

$$\boxed{\text{PPCM}(a,b) \times \text{PGCD}(a,b) = |ab|}.$$

III. Les nombres premiers

Définition

Un nombre entier naturel p est **premier** s'il possède exactement deux diviseurs positifs 1 et p.

Théorèmes

Soit n un entier supérieur ou égal à 2.

- n admet au moins un diviseur premier.
- Si n n'est pas premier alors il admet au moins un diviseur premier p tel que $p \leq \sqrt{n}$.

Liste des cinquante premiers nombres premiers :

2	3	5	7	11	13	17	19	23	29
31	37	41	43	47	53	59	61	67	71
73	79	83	89	97	101	103	107	109	113
127	131	137	139	149	151	163	167	173	179
181	191	197	199	211	223	227	229	233	239

Il existe une infinité de nombres premiers.

Décomposition en produits de facteurs premiers

Tout entier naturel n supérieur ou égal à deux se décompose en produit de facteurs premiers. La décomposition est unique (à l'ordre des facteurs près).

Théorèmes

Soit $n = p_1^{\alpha_1}...p_r^{\alpha_r}$ où $p_1,..., p_r$ sont des nombres premiers et $\alpha_1,...,\alpha_r$ des entiers naturels non nuls. Les diviseurs de n sont les nombres de la forme $p_1^{\beta_1}...p_r^{\beta_r}$ où $0 \leq \beta_1 \leq \alpha_1,..., 0 \leq \beta_r \leq \alpha_r$.

Si $n = p_1^{\alpha_1}...p_r^{\alpha_r}$ alors le nombre de diviseurs de n $(n \geq 2)$ est :

$$\boxed{(\alpha_1 +1)...(\alpha_r +1)}.$$

Le PGCD de a et b est égal au produit des facteurs premiers communs, chacun d'eux étant affecté du plus petit exposant figurant dans la décomposition.

Le PPCM de a et b est égal au produit de tous les facteurs premiers figurant dans l'une ou l'autre de leurs décompositions, chacun d'eux étant affecté du plus grand exposant figurant dans la décomposition.

Petit théorème de Fermat
Si p est un nombre premier et a un entier naturel non divisible par p, alors $a^{p-1} - 1$ est divisible par p.

Corollaire
Si p est un nombre premier alors $a^p - a$ est divisible par p.

LES GRAPHES

I. Les généralités

Définitions

Un **graphe** non orienté est constitué d'un ensemble $S = \{s_1, ..., s_n\}$ de points appelés **sommets** et d'un ensemble $A = \{a_1, ..., a_n\}$ d'**arêtes**. À chaque arête sont associés deux éléments de S appelés **extrémités**.

Remarque : Si les extrémités d'une arête sont égales alors l'arête s'appelle une **boucle**.

Ordre

L'**ordre** d'un graphe est le nombre de ses sommets.

Graphe simple

Un graphe est dit **simple** si deux sommets distincts sont joints par au plus une arête et s'il est sans boucle.

Graphe complet

Un graphe simple est dit **complet** si tous ses sommets sont adjacents (reliés par une arête)

Le degré d'un sommet

• On appelle **degré** d'un sommet le nombre d'arêtes dont ce sommet est une extrémité.

• Un sommet est **pair** (resp. impair) si son degré est un nombre pair (resp. impair).

Remarque : les sommets d'un graphe complet d'ordre n sont tous de degré $n - 1$.

Théorème

La somme des degrés de tous les sommets d'un graphe est égale à deux fois le nombre d'arêtes du graphe.

Corollaire : Dans un graphe le nombre de sommets de degré impair est toujours pair.

Les chaînes

• On appelle **chaîne** une suite finie débutant par un sommet s_0 et finissant par un sommet s_n, alternant sommets et arêtes de manière que chaque arête soit encadrée par ses extrémités.

• La chaîne est dite **fermée** lorsque $s_0 = s_n$.

• La **longueur de la chaîne** est égale au nombre d'arêtes qui la constituent.

Les cycles

Un **cycle** est une chaîne fermée dont toutes les arêtes sont distinctes.

Les graphes connexes

• Un graphe est **connexe** si deux sommets quelconques sont reliés par une chaîne.

• Dans un graphe connexe la **distance** entre deux sommets est la longueur de la plus courte chaîne qui peut les relier.

• Le **diamètre** d'un graphe connexe est la plus grande distance entre deux sommets.

• Une chaîne est **eulérienne** si elle contient une et une seule fois chaque arête du graphe.

• Si la chaîne est un cycle, on parle de **cycle eulérien**.

Théorème d'Euler

Un graphe connexe a une chaîne eulérienne si, et seulement si, il y a zéro ou deux sommets de degré impair.

Si tous les sommets sont de degré pair alors le graphe admet un cycle eulérien.

Les graphes orientés

Un graphe est **orienté** lorsque chaque arête est orientée.

II. Les graphes et les matrices

Définition

On appelle **matrice** d'un graphe la matrice $\left(a_{ij}\right)$ où a_{ij} est le nombre d'arêtes joignant le sommet s_i au sommet s_j.

Remarque : La matrice d'un graphe non orienté est symétrique.

Théorème

Le nombre de chaînes de longueur n joignant le sommet s_i au sommet s_j dans un graphe de matrice A est donné par le coefficient de la $i-$ème ligne et de la $j-$ème colonne de la matrice A^n.

III. Le coloriage

Définitions

- Un **coloriage** d'un graphe consiste en l'attribution de couleurs aux sommets de telle manière que deux sommets voisins n'aient pas la même couleur.

- Le **nombre chromatique** d'un graphe est le nombre minimum de couleurs nécessaires à son coloriage.

IV. Les graphes probabilistes

Définitions

- Un **graphe étiqueté** est un graphe orienté dont les arêtes sont affectés d'étiquettes.

- Un **graphe pondéré** est un graphe étiqueté dont les étiquettes sont des nombres positifs.

- Le **poids** d'une chaîne dans un graphe pondéré est la somme des poids des arêtes qui la composent.

- Un **graphe probabiliste** est un graphe orienté, pondéré, telle que la somme des poids des arêtes partant de chaque sommet égale 1.

LES STATISTIQUES

I. Les statistiques à une variable

x_i	x_1	x_2	...	x_p
n_i	n_1	n_2	...	n_p

Effectif total $\boxed{N = \sum_{i=1}^{p} n_i}$. **Fréquence partielle** $\boxed{f_i = \dfrac{n_i}{N}}$.

Moyenne $\boxed{\overline{x} = \sum_{i=1}^{p} f_i x_i = \dfrac{1}{N} \sum_{i=1}^{p} n_i x_i}$.

Variance $\boxed{V(x) = \sum_{i=1}^{p} f_i \left(x_i - \overline{x}\right)^2 = \dfrac{1}{N} \sum_{i=1}^{p} n_i \left(x_i - \overline{x}\right)^2}$.

$$\boxed{V(x) = \left(\sum_{i=1}^{p} f_i x_i^2\right) - \overline{x}^2 = \left(\dfrac{1}{N} \sum_{i=1}^{p} n_i x_i^2\right) - \overline{x}^2}$$.

Écart-type $\boxed{\sigma = \sqrt{V}}$.

II. Les statistiques à deux variables

x_i	x_1	x_2	...	x_n
y_i	y_1	y_2	...	y_n

Point moyen $G\left(\overline{x}, \overline{y}\right)$ où $\overline{x} = \dfrac{1}{n} \sum_{i=1}^{n} x_i$ et $\overline{y} = \dfrac{1}{n} \sum_{i=1}^{n} y_i$.

Covariance $\boxed{\mathrm{cov}(x,y) = \dfrac{1}{n} \sum_{i=1}^{n} (x_i - \overline{x})(y_i - \overline{y}) = \dfrac{1}{n} \sum_{i=1}^{n} x_i y_i - \overline{x}\,\overline{y}}$.

Ajustement affine

La **droite d'ajustement affine** par la méthode des moindres carrés a pour équation : $y = ax + b$ avec $\boxed{a = \dfrac{\mathrm{cov}(x,y)}{V(x)}}$ et $\boxed{b = \overline{y} - a\overline{x}}$. La droite passe donc par le point moyen G .

Index

QUATRIÈME PARTIE

Maths pratiques, maths magiques

par Alexandre Bourjala

Introduction

Ceci n'est pas un livre de mathématiques ! En effet, dans les pages qui suivent, on ne rencontre pas le schéma habituel : « théorème, démonstration, exercices », adopté dans la plupart des manuels scolaires.

Les treize chapitres de ce petit livre évoquent des problèmes rencontrés dans la vie de tous les jours. Une solution détaillée apporte une réponse à chacun d'eux. *C'est pratique !*

Les méthodes exposées peuvent être directement réutilisées avec les données qu'introduira le lecteur pour permettre de répondre à ses besoins. *C'est magique !*

Les mathématiques ne sont pas toujours apparentes dans les problèmes que pose la vie quotidienne. Le premier rôle de *Maths pratiques, maths magiques* est de souligner la présence de concepts arithmétiques ou géométriques sous-jacents dans une recette de cuisine, sur un chantier, devant une carte routière ou une machine à laver...

C'est pour faire le lien avec des notions rencontrées à l'école, au collège ou au lycée que certaines explications sont suivies d'un rappel des cours de mathématiques auxquels elles se réfèrent. À la fin de chaque chapitre, une partie intitulée « Pour vous entraîner » permet à chacun de vérifier si la méthode décrite est correctement assimilée.

Cet ouvrage, par son approche nouvelle, s'adresse avant tout à celles et ceux qui prétendent n'avoir « jamais rien compris aux maths » ! Les parents pourront y trouver des exemples concrets à présenter à leurs enfants pour illustrer quelques-unes de leurs leçons de mathématiques à l'abstraction parfois rebutante.

Vous serez surpris par la simplicité des méthodes qui vous sont proposées pour venir à bout de problèmes *a priori* difficilement surmontables.

M. Jourdain ne le savait pas, mais il faisait aussi des mathématiques...

Quand on ne manque pas d'*aire*, il faut avoir du pot !

Vous avez décidé de repeindre votre salon. Pour cela, vous avez déjà arraché la vieille tapisserie et lessivé les murs. Vous voilà maintenant dans le rayon bricolage d'un magasin en train de choisir vos pots de peinture. Il est écrit sur les emballages que chaque pot permet de recouvrir d'une couche de peinture une surface d'environ 30 m². Seulement, un problème se pose : *Combien faut-il en acheter ?*

Vous devez déterminer l'aire de vos murs

Avant de vous rendre dans ce magasin, équipez-vous d'un mètre et choisissez l'un de vos murs. Si ce dernier a la forme d'un rectangle, mesurez la hauteur de votre mur puis sa longueur. Assurez-vous que les deux mesures soient faites dans la même unité de mesure (par exemple le mètre), puis multipliez-les entre elles.

Exemple :

1. Vos mesures donnent 230 cm de hauteur et 550 cm de longueur.

2. Vous transformez 230 cm en 2,30 m et 550 cm en 5,50 m.
3. Multipliez les résultats : 2,30 × 5,50 = 12,65.
4. Votre mur a donc une aire de 12,65 m².

Cependant, il se peut que votre mur ait la forme d'un trapèze, c'est-à-dire de quelque chose qui ressemble à ça :

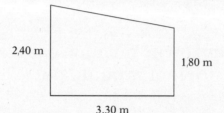

Pas de panique ! Mesurez d'abord la grande hauteur, puis la petite (toujours en mètres !).
Ajoutez ces deux grandeurs, puis divisez le tout par 2. Vous obtenez ainsi la *hauteur moyenne* de votre mur.
Ici, on ferait : 2,40 + 1,80 = 4,20 puis 4,20 ÷ 2 = 2,10.

Désormais, vous pouvez procéder comme dans le premier exemple, en multipliant votre hauteur moyenne par la longueur de votre mur pour déterminer l'aire de ce dernier.
C'est-à-dire : 2,10 × 3,30 = 6,93.

Il ne vous reste plus qu'à conclure que votre mur a une aire égale à 6,93 m², soit environ 7 m².

Comment ! ? Vous avez des murs qui ne sont ni des rectangles ni des trapèzes ! Dans ce cas, vous devriez pouvoir décomposer sa surface en petits rectangles et/ou trapèzes. Imaginons par exemple que vous souhaitiez mesurer l'aire d'un mur ayant une forme qui ressemble à la figure ABCDE dessinée ci-après ; comment feriez-vous ?

1. Quand on ne manque pas d'*aire*, il faut avoir du pot !

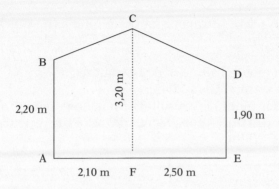

Réponse :

Pour calculer l'aire de ABCDE, partagez cette surface en deux trapèzes ABCF et FCDE, comme sur le dessin.

1. On calcule l'aire de ABCF :
   - hauteur moyenne :
     2,20 + 3,20 = 5,40 puis 5,40 ÷ 2 = **2,70**.
   - aire de ABCF : 2,70 × 2,10 = 5,67.

   Le premier trapèze a donc une aire qui mesure

   $\boxed{5,67 \text{ m}^2}$.

> **Attention !** Il est déconseillé d'arrondir un nombre avant la fin des calculs. En effet, arrondir un nombre c'est commettre volontairement une « petite » erreur. Si l'on commet cette « petite » erreur au milieu des calculs elle risque d'être multipliée et/ou cumulée à d'autres « petites » erreurs pour finalement engendrer une « grosse » erreur. D'une manière générale, il est préférable de n'arrondir que le résultat final.

2. On calcule l'aire de FCDE :
   - hauteur moyenne : 1,90 + 3,20 = 5,10 puis
                       5,10 ÷ 2 = **2,55**.
   - aire de FCDE : 2,55 × 2,50 = 6,375.

Le second trapèze a donc une aire qui mesure
$\boxed{6,375 \text{ m}^2}$.

3. On ajoute l'aire des deux trapèzes :
5,67 + 6,375 = 12,045.
Ceci étant le résultat final, on peut l'arrondir
et conclure que l'aire de ABCDE est d'environ
$\boxed{12 \text{ m}^2}$.

Vous pouvez encore être confronté à un autre cas : celui
où vous souhaitez peindre les murs d'une mansarde. Vous
êtes alors amené à calculer la superficie de murs triangu-
laires. Pour cela, il vous faut prendre deux mesures : la
hauteur et la base.

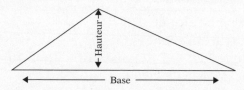

Supposons que les mesures donnent 10,50 m pour la base
et 2,60 m pour la hauteur. Pour calculer l'aire de votre
mur, effectuez la série d'opérations :

10,50 × 2,60 ÷ 2 = 13,65.
Vous trouvez une aire de $\boxed{13,65 \text{ m}^2}$.

Les principales formes géométriques que vous êtes suscep-
tible de rencontrer ayant été étudiées, vous pouvez donc
maintenant calculer la superficie de chacun de vos murs
(sauf, bien sûr, si vous habitez dans un igloo !).

Ajoutez tous ces nombres pour trouver la *superficie totale*
à peindre.
Il ne vous reste plus qu'à diviser cette superficie totale par
30 m² (rappelez-vous, c'était écrit sur chaque pot) pour
trouver, après avoir arrondi à l'unité supérieure, le nombre
de pots qu'il faudra acheter. Pourquoi à l'unité supérieure ?

1. Quand on ne manque pas d'*aire*, il faut avoir du pot !

Tout simplement parce que, si vous manquez de pot, vous n'aurez aucune chance de finir votre mur...

Exemple :

1. Vous trouvez une superficie totale de 78,30 m².
2. Vous effectuez la division : 78,30 ÷ 30 = 2,61.
3. Vous arrondissez 2,61 à l'unité supérieure ; vous trouvez 3.
4. Vous devrez donc acheter $\boxed{\text{3 pots}}$ de peinture pour repeindre votre salon.

Attention ! Si vous désirez recouvrir vos murs avec deux couches de peinture, il vous faudra multiplier votre superficie totale par 2 avant de diviser par 30 !

Rappels

➤ Aire A d'un *carré* :

$$\mathcal{A} = c \times c$$

➤ Aire A d'un *rectangle* :

$$\mathcal{A} = L \times l$$

➤ Aire A d'un *trapèze* :

$$\mathcal{A} = \frac{B + b}{2} \times h$$

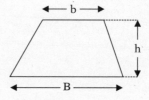

➤ Aire A d'un *triangle* :

$$\mathcal{A} = \frac{B \times b}{2}$$

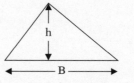

1. Quand on ne manque pas d'*aire*, il faut avoir du pot !

Pour vous entraîner

Calculez l'aire de chacun des murs suivants, puis donnez le nombre de petits pots de peinture (pouvant couvrir chacun 5 m²) nécessaires pour les repeindre tous.

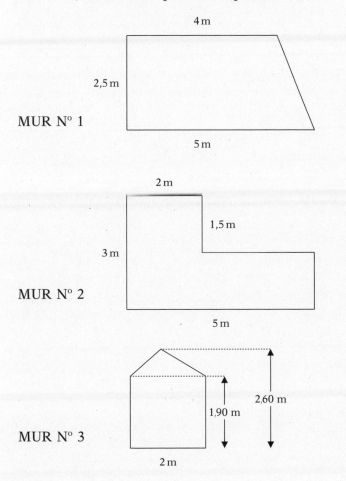

4 m

2,5 m

MUR N° 1

5 m

2 m

1,5 m

3 m

MUR N° 2

5 m

2,60 m

1,90 m

MUR N° 3

2 m

Solutions :

- MUR N° 1 : 11,25 m^2.
- MUR N° 2 : 10,5 m^2.
- MUR N° 3 : 4,5 m^2.
- Nombre de pots : 6.

Cette recette, c'est du gâteau !

Vous allez recevoir des amis et vous souhaitez leur préparer un délicieux gâteau. La recette est simple et vous avez acheté tous les ingrédients nécessaires à sa réalisation. Pour commencer, on vous demande de verser dans un récipient 200 mL de lait. Afin de mesurer la quantité souhaitée, vous allez chercher votre verre doseur. Là, vous constatez que l'échelle de graduation des liquides n'est pas en ml mais en fractions (1/2 ; 1/4 ; 1/10) de litres.

Comment mesurer le volume demandé ?

Vous devez convertir des millilitres en fractions de litre.
Tout d'abord, nous savons que : 1 L = 1 000 mL. Comme 1/2 L c'est la moitié de 1 000 mL, alors on a : **1/2 L = 500 mL**. De même, 1/4 L c'est le quart de 1 000 mL. C'est-à-dire : **1/4 L = 250 mL**. Enfin, 1/10 L c'est le dixième de 1 000 mL. Donc : **1/10 L = 100 mL**.
Il ne nous reste plus qu'à remarquer que 200 mL c'est 2 fois 100 mL. Donc :
1. vous versez du lait dans votre verre doseur jusqu'au trait 1/10,
2. vous transvasez le contenu du verre dans un récipient,

3. vous reversez du lait dans votre verre doseur jusqu'au trait 1/10,
4. vous rajoutez le contenu du verre dans votre récipient.

Et voilà 200 mL de lait !

Vous auriez pu obtenir d'autres volumes en remarquant que :
300 mL = 1/10 L + 1/10 L + 1/10 L
350 mL = 1/4 L + 1/10 L
400 mL = 1/10 L + 1/10 L + 1/10 L + 1/10 L
450 mL = 1/4 L + 1/10 L + 1/10 L

Plus loin dans votre recette, il vous est demandé de rajouter 15 cL de rhum. Vous savez qu'il suffit de rajouter un zéro au nombre de cL pour obtenir des mL. Ainsi, 15 cL correspondent à 150 mL. Donc :
1. vous versez du rhum dans votre verre doseur jusqu'au trait 1/10,
2. vous transvasez le contenu du verre dans un récipient,
3. vous rajoutez du rhum dans votre verre doseur jusqu'à atteindre la mi-hauteur du trait 1/10 (oui, ce n'est pas très précis mais c'est votre verre doseur et votre recette alors soyez gentil(le) de ne pas trop vous plaindre !),
4. videz votre verre dans le récipient.

Voilà 15 cL de rhum !

Désormais, vous n'avez plus d'excuses pour ne pas faire de pâtisseries.

2. Cette recette, c'est du gâteau !

Tableau de conversion des différentes sous-unités du litre

kL	hL	daL	L	dL	cL	mL

kL → *kilolitre* correspond à 1 000 litres (très peu usité), on utilise plutôt le mètre cube noté m^3.

hL → *hectolitre* correspond à 100 litres.

daL → *décalitre* correspond à 10 litres.

Exemples d'utilisation du tableau de conversion :

Comment convertir 25 hectolitres en litres ?

1. On ne met qu'un seul chiffre par case ; c'est le chiffre des **unités** qui se place dans la colonne de l'**unité** de départ (ici, les hectolitres).

kL	hL	daL	L	dL	cL	mL
2	5					

2. On complète les colonnes vides avec des zéros jusqu'à l'unité d'arrivée.

kL	hL	daL	L	dL	cL	mL
2	5	0	0			

3. Il ne reste plus qu'à conclure que 25 hl correspondent à 2500 l.

Comment convertir 3,5 centilitres en litres ?

1. On place un chiffre par colonne en prenant soin de placer le chiffre des unités dans la colonne de l'unité de départ.

kL	hL	daL	L	dL	cL	mL
					3,	5

2. On complète les colonnes vides avec des zéros jusqu'à l'unité d'arrivée ; on déplace la virgule à côté du zéro le plus à gauche.

kL	hL	daL	L	dL	cL	mL
			0,	0	3	5

3. Conclusion : 3,5 cL correspondent à 0,035 L.

Les volumes peuvent aussi se mesurer à l'aide des sous-unités du mètre cube (m^3) :
- le millimètre cube (mm^3),
- le centimètre cube (cm^3),
- le décimètre cube (dm^3).

Le *petit* 3 en exposant est là pour nous rappeler que chaque colonne du tableau de conversion sera divisée en trois *petites* colonnes.

m^3			dm^3			cm^3			mm^3		

Comment convertir 0,17 dm^3 en cm^3 ?

1. On place le 0 (chiffre des unités) dans la petite colonne la plus à droite de la colonne des dm^3.

m^3			dm^3			cm^3			mm^3		
					0						

2. On finit d'écrire le nombre (ici 0,17) et on rajoute des zéros dans toutes les petites colonnes jusqu'à arriver à celle qui est la plus à droite de la colonne des cm^3.

m³			dm³			cm³			mm³		
					0,	1	7	0			

3. C'est maintenant le zéro le plus à droite qui joue le rôle de chiffre des unités (puisque l'on change d'unité !). Donc on ne tient plus compte de la virgule, et l'on peut lire que : 0,17 dm^3 = 170 cm^3.

Enfin, nous avons l'égalité : $\boxed{1~dm^3 = 1L}$

D'où le tableau de correspondance entre les diverses unités de volume :

m³			dm³			cm³			mm³		
		kL	hL	daI	L	dL	cL	mL			

Pour vous entraîner

1) À combien de millilitres correspondent trois quarts de litre ?

2) Combien y a-t-il de litres dans 1 m³ ?

3) Comment mesurer 55 cL avec un verre doseur ?

Solutions :

1) 3/4 L = 750 mL.
2) 1 m³ =1 000 L.
3) 55 cL = 1/4 L + 1/10 L + 1/10 L + 1/10 L.

À manipuler avec précaution !

C'est l'automne. Les feuilles des arbres brunissent et tombent, dévoilant quelques branches mortes... Vous allez enfin utiliser votre toute nouvelle tronçonneuse ! Le vendeur vous a expliqué qu'elle fonctionnait avec du mélange à 3 %. Afin de préparer un tel mélange, vous avez rempli un jerrican d'essence et acheté un bidon d'huile.

Mais comment obtenir un mélange à 3 % ?

1er cas (le plus simple et le plus fréquent) : votre réservoir a une contenance de 1 L.

Vous devez commencer par verser 3 cL (3 centièmes de litre, soit 30 mL) d'huile dans votre réservoir. Le bouchon de votre bidon d'huile dispose à cet effet d'une graduation vous permettant de mesurer la quantité souhaitée. Il ne vous reste plus qu'à finir de remplir le réservoir avec l'essence et d'agiter le tout pour émulsionner le mélange. Vous pouvez aller tronçonner !

2e cas (vous n'avez pas de chance) : votre réservoir a une autre contenance.

Appelons V le volume du réservoir en litres (dans le premier cas, on avait V = 1).
Pour obtenir, en cl, le volume d'huile qu'il faut verser dans le réservoir, il suffit de multiplier V par 3.

Exemple :

Le réservoir de votre tronçonneuse a une contenance de 1,5 L (donc V = 1,5).

1. Vous multipliez 1,5 par 3 et vous trouvez :
   1,5 × 3 = 4,5.
2. Vous versez donc **4,5** cL d'huile dans votre réservoir.
3. Vous terminez votre préparation en rajoutant de l'essence dans votre réservoir, jusqu'à ce que ce dernier soit plein.

La méthode exposée dans le 2e cas peut d'ailleurs s'appliquer à n'importe quel mélange.
En effet, si vous disposez d'un réservoir ayant une contenance de V litres, pour y réaliser un mélange à P % (précédemment, P était égal à 3), alors simplement en multipliant V par P, vous déterminerez directement le volume d'huile en cl nécessaire à la préparation du mélange.

Exemple :

Le réservoir a une capacité de 0,5 L et vous souhaitez élaborer un mélange à 4 %.

1. Vous multipliez 0,5 par 4. Cela donne : *0,5 × 4 = 2*.
2. Vous devrez donc verser **2** cL d'huile dans votre réservoir.
3. Il ne vous reste plus qu'à finir de remplir d'essence le réservoir de votre tronçonneuse puis à l'agiter (après avoir pris soin de revisser le bouchon).

Vous pouvez désormais entamer votre travail de coupe en respectant, bien sûr, les consignes de sécurité.

3. À manipuler avec précaution !

Votre tâche accomplie, quel bonheur de pouvoir vous détendre sous une bonne douche et de laisser votre lave-linge s'occuper de nettoyer vos vêtements !

À cet effet, vous vous déshabillez et, après les efforts harassants qui vous ont occupé une bonne partie de l'après-midi, laissez tomber dans la machine ce qui constituait votre tenue de travail. Vous versez de la lessive dans les bacs de prélavage et de lavage et décidez de rajouter une bonne dose d'adoucissant. Horreur ! Il s'agit d'un berlingot de produit pur à diluer. Il est écrit sur l'emballage qu'avec ce berlingot de 250 mL, on peut obtenir 1 L d'adoucissant prêt à l'emploi. Bien évidemment, vous n'avez à votre disposition qu'une bouteille vide d'1,5 L pour effectuer le mélange. Comment défaire ce nœud gordien ?

Tout d'abord, couvrez-vous ! Maintenant que les arbres sont élagués, on pourrait entrevoir votre nudité...

Puis versez le contenu du berlingot dans votre bouteille vide. Il faut maintenant rajouter de l'eau jusqu'aux 2/3 de sa hauteur. Pour cela, rien de plus facile ; divisez mentalement la hauteur totale de la bouteille en trois parties à peu près égales.

Il ne vous reste plus qu'à remplir d'eau les deux premières parties. Et voilà !

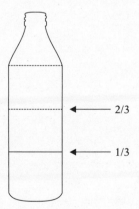

305

> **Remarque**
> Si vous disposez de trois berlingots et de deux bouteilles d'1,5 L vous pouvez rapidement préparer 3 L d'adoucissant : videz un berlingot dans chaque bouteille, puis versez une moitié du troisième berlingot dans chacune. Remplissez les bouteilles d'eau et vous obtenez la solution souhaitée.

3. À manipuler avec précaution !

RAPPELS

Tableau de proportionnalité (ou règle de trois)

Les exemples vus dans ce chapitre (et dans d'autres) illustrent la notion de proportionnalité. Connaissant le mélange idéal pour un volume donné, nous sommes capables de préparer pour n'importe quel volume le mélange adapté.

Ainsi, dans le premier exemple, nous savions que le mélange idéal était à 3 %. Cela signifie qu'il faut verser 3 L d'huile dans de l'essence jusqu'à obtenir 100 L de mélange. Mais 100 L, c'est beaucoup trop !

Supposons que nous ne souhaitions que 2 L de mélange. Nous cherchons le volume d'huile (appelons-le X) qu'il faut verser dans le réservoir pour obtenir le mélange adapté à nos besoins. Tout cela peut se retranscrire dans un tableau de proportionnalité de la façon suivante :

	Volume d'huile	Volume de mélange
Mélange idéal	3 L	100 L
Mélange adapté	X	2 L

Pour obtenir la valeur de X, il suffit de multiplier les nombres qui se situent dans la même colonne et sur la même ligne que X et de diviser le résultat par le dernier nombre du tableau.

Ici, les calculs donnent : $X = \dfrac{3 \times 2}{100}$, soit : $X = 0{,}06$ L.

Ce qui donne, d'après le tableau de conversion du chapitre 2 : $\boxed{X = 6 \text{ cL}}$

Pour vous entraîner

1) On dispose d'un réservoir de 3 L. Comment obtenir un mélange à 2 % ?

2) Vous recevez à dîner des amis. Vous avez trouvé la recette d'un plat qui vous semble appétissant. Petit problème : les quantités sont données pour 4 personnes et vous serez 10 autour de la table. Si pour 4 personnes il faut 500 g de morilles blondes, quelle quantité de champignons sera nécessaire pour 10 personnes ?

Solutions :

1) $3 \times 2 = 6$; on verse donc 6 cL d'huile dans le réservoir avant de remplir ce dernier d'essence.

2)

	Nombre de personnes	Masse de morilles
Recette pour 4	4	500 g
Recette pour 10	10	X

$$X = \frac{10 \times 500}{4} = 1\ 250$$

La recette pour 10 personnes nécessite $\boxed{1\ 250\ g}$ de morilles blondes.

4

Ne passez pas à côté d'une échelle !

Vous venez d'arriver dans une commune que vous ne connaissez pas. Pour vous familiariser avec la région, vous achetez un plan au bas duquel figure l'inscription : 1/150 000. Vous souhaitez connaître la distance qui sépare l'aéroport de votre domicile. Sur le plan, 32 cm séparent les deux endroits. Dans la réalité, combien de kilomètres séparent les deux endroits ?

Si l'échelle du plan indique 1/150 000, cela signifie que 1 cm sur le plan correspond à 150 000 cm dans la réalité. Comme ce dernier nombre n'est pas très « parlant », nous allons le convertir en kilomètres. Pour cela, rien de plus facile ; **il suffit de rajouter une virgule entre le cinquième et le sixième chiffre en commençant par la droite.** Dans notre exemple, nous trouvons que 150 000 cm équivalent à 1,50 000 km ; soit 1,5 km.

Donc, à présent, nous savons grâce à l'échelle que 1 cm sur le papier représente 1,5 km grandeur nature. Par suite, 32 cm sur le papier représentent 32 × 1,5 km (c'est-à-dire 48 km) grandeur nature. Donc l'aéroport se situe à 48 km de votre maison.

De même, si la mairie et votre domicile sont distants de 20 cm sur votre carte quelle distance les sépare à notre échelle ? Il suffit d'effectuer le calcul : 20 × 1,5 = 30 pour trouver la réponse à notre question ; mairie et maison sont situées à 30 km l'une de l'autre.

On se rend compte qu'une fois que l'on a transformé l'information « **1/150 000** » en « **1 cm représente 1,5 km** » il n'y a guère de difficultés à estimer les distances. Ainsi, si vous avez en votre possession une carte indiquant : « échelle 1/100 000 000 », vous savez que votre premier travail pour évaluer diverses distances sera de transformer cette information comme nous l'avons vu précédemment. Pour convertir 100 000 000 de centimètres en kilomètres, vous utilisez la règle soulignée un peu plus haut. Si vous placez une virgule entre le cinquième et le sixième chiffre en partant de la droite, vous trouvez que 100 000 000 cm correspondent à 100 000 000 km. Vous en déduisez que sur votre plan, 1 cm représente 1 000 km.

Par suite, en remarquant que Paris et Sydney sont espacés de 17 cm, il est facile de conclure que ces deux villes sont éloignées de : 17 × 1 000 km = 17 000 km.

Les échelles peuvent aussi parfois être trompeuses lorsqu'elles s'appliquent à des volumes.

Quand on nous dit qu'une maquette est la fidèle représentation d'un avion à l'échelle 1/25, cela signifie que la longueur, la largeur et la hauteur du modèle réduit sont chacune 25 fois plus petite que les dimensions réelles. Le volume d'un « objet » étant proportionnel au produit de ces trois mesures, on en déduit que notre petit avion est 25 × 25 × 25 = 15 625 fois plus petit que son modèle.

Vous vous demandez peut-être : « À quoi cela sert-il et pourquoi avoir qualifié les échelles de trompeuses ? » Répondez sans vous tromper au problème suivant et vous prouverez (s'il en était encore besoin) que vous maîtrisez ce chapitre.

Deux pâtissiers disposent de la même quantité de pâte et de raisins secs. Le premier prépare un grand cake aux raisins de 50 cm de long avec toute sa pâte. Le second préfère utiliser toute sa pâte pour cuisiner huit petits cakes aux raisins ayant chacun la même forme que le grand cake de son collègue. Quelle sera la longueur de chacun des petits cakes ?

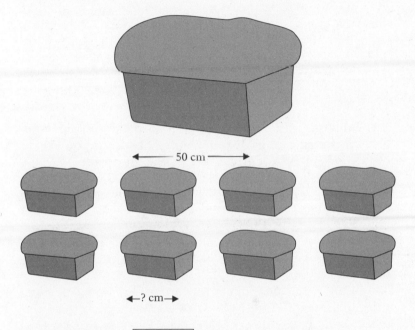

50 cm

? cm

La réponse est... 25 cm !

En effet, comme pour les avions tout à l'heure, si chaque « petit cake » est une représentation du « grand cake » à l'échelle 1/2, alors cela signifie que sa longueur, sa largeur et sa hauteur sont chacune divisées par 2. Et donc chaque petit cake est 2 × 2 × 2 = 8 fois plus petit que le grand cake. On peut ainsi, avec les mêmes ingrédients que le grand cake, préparer huit cakes huit fois plus petits car deux fois moins longs.

311

Pour vous entraîner

1) Sur une carte à l'échelle 1/25 000, deux villes sont distantes de 14 cm. Dans la réalité, combien de kilomètres les séparent ?

2) Vous avez rendez-vous dans un bureau situé à 2 km de la gare. Sur un plan de la ville à l'échelle 1/5 000, à quelle distance de la gare faut-il chercher le bureau ?

3) Sur une carte dont l'échelle n'est pas indiquée, vous constatez que la distance entre Paris et Lyon est de 8 cm, et celle entre Paris et Bastia mesure 18 cm. Vous savez que Lyon est à environ 400 km de Paris. Combien de kilomètres séparent Paris et Bastia ?

Solutions :

1) 1 cm représente 0,25 km ; donc 3,5 km séparent les deux villes.

2)

	sur le plan	dans la réalité
échelle	1 cm	0,05 km
distance	X	2 km

X = 40 cm

3)

	sur le plan	dans la réalité
Paris-Lyon	8 cm	400 km
Paris-Bastia	18 cm	Y

Y = 900 km

Vivement les soldes !

Les fêtes de fin d'année sont terminées. Les rues se vident de leurs décorations de Noël et les magasins s'apprêtent à écouler leurs stocks d'invendus. Vous allez bientôt pouvoir profiter des soldes. Diverses questions peuvent se présenter à vous : *Comment calculer le nouveau prix d'un article soldé ? Pourquoi le fait de faire subir à un prix deux baisses successives de 10 % et 20 % n'est pas la même chose que d'effectuer une seule baisse de 30 % ?*
Voyons ensemble de quelles manières nous pouvons répondre à ces interrogations.

Tout d'abord, une méthode simple pour calculer une augmentation de 10 % d'un prix consiste à multiplier ce dernier par 10, à diviser le résultat par 100, puis à ajouter le total au prix du départ.
Par exemple, supposons qu'un pantalon coûte 70 €. Quel sera son nouveau prix après une augmentation de 10 % ?
1. On multiplie 70 par 10 ; on trouve 700.
2. On divise ce résultat par 100, c'est-à-dire :
   700 ÷ 100 = 7.
3. On ajoute le total au prix du départ : 7 + 70 = 77.
4. Conclusion : le pantalon coûtera 77 €.

De même, pour une augmentation de **20 %**, vous arriverez au résultat cherché en remplaçant le 10 de la première multiplication de l'exemple précédent par... un **20** !

Ainsi, si vous payiez 300 € le fioul que vous mettiez dans votre citerne l'année dernière, combien payerez-vous cette année pour la même quantité, si le prix du combustible a augmenté de 20 % ?

1. On multiplie 300 par 20 ; on trouve 6 000.
2. On divise le résultat par 100, c'est-à-dire :
   6 000 ÷ 100 = 60.
3. On ajoute ce total au prix de l'an dernier :
   60 + 300 = 360.
4. Conclusion : cette année, le montant de la facture de fioul s'élèvera à 360 €.

Pour les réductions (qui nous intéressent davantage !) la méthode est quasiment la même, à ceci près que la dernière opération sera une soustraction.

Prenons une paire de chaussures à 90 €. Si le prix subit une baisse de 20 %, combien devrez-vous débourser pour pouvoir les acquérir ?

1. On multiplie 90 par 20 ; on trouve 1 800.
2. On divise le résultat par 100 ; c'est-à-dire :
   1 800 ÷ 100 = 18.
3. On retranche ce résultat au prix initial :
   90 − 18 = 72.
4. Conclusion : le nouveau prix des chaussures est de 72 €.

Nous sommes à présent en mesure de comprendre pourquoi deux baisses de prix successives de 10 %, puis de 20 % ne donnent pas le même résultat qu'une unique baisse de 30 %.

En effet, lors des deux baisses successives, les dix premiers pourcents s'appliquent au prix initial de l'article puis les vingt pourcents suivants s'appliquent à un prix *intermédiaire*, plus bas.

Lors de l'unique baisse, les trente pourcents s'appliquent

au prix initial. La réduction est donc plus importante que dans le premier cas.

Pour illustrer notre propos reprenons l'exemple des chaussures qui coûtaient initialement 90 €. Après une première baisse de 20 % le nouveau prix est de 72 €. Si le prix des chaussures subissait une nouvelle réduction de 10 %, c'est en utilisant 72 € (le prix intermédiaire) que nous ferions le calcul du prix final.

1. $72 \times 10 = 720$.
2. $720 \div 100 = 7{,}2$.
3. $72 - 7{,}2 = 64{,}8$.
4. Conclusion : après deux baisses successives de 20 % puis 10 % de leur prix, les chaussures ne coûtent plus que 64,80 €.

Cherchons à présent le prix de ces mêmes chaussures (dont le prix de départ est de 90 €) après une unique baisse de 30 %.

1. $90 \times 30 = 2\,700$.
2. $2\,700 \div 100 = 27$.
3. $90 - 27 = 63$.
4. Conclusion : après une unique baisse de 30 %, les chaussures ne coûtent plus que 63 €.

Nous constatons donc qu'une unique baisse de 30 % est plus avantageuse (pour le client !) que deux baisses successives de 20 %, puis de 10 %.

Mais, me direz-vous, lorsque l'on effectue deux réductions de prix successives, l'ordre a-t-il une importance ? Autrement dit, diminuer un prix de 20 % puis de 10 %, est-ce la même chose que de le diminuer de 10 % puis de 20 % ?
La réponse est oui et nous en verrons la raison au prochain chapitre.

Rappels

Pour calculer 15 % de 85 à l'aide de la touche « % » d'une calculatrice, il suffit d'appuyer successivement sur les touches :

Vous pourrez alors lire le résultat : 12,75. Le signe « % » veut juste dire « divisé par cent ». Donc :

$$30 \% = \frac{30}{100} = 0,3.$$

Cette remarque sera utile pour le prochain chapitre.

Pour vous entraîner

1) Un article coûtait 53 € ; son prix a augmenté de 20 %. Quel est son nouveau prix ?

2) Un ordinateur portable coûtant 900 € voit son prix baisser de 15 %. Combien coûte-t-il à présent ?

3) En pleine liquidation des stocks, une paire de chaussures à 150 € subit deux baisses successives de 10 % puis de 30 %. Combien allez-vous la payer ?

Solutions :

1) Nouveau prix : 63,6 €.
2) L'ordinateur coûte 765 €.
3) Prix de la paire de chaussures : 94,5 €.

Pourcentages pourtant sages...

Nous avons vu au chapitre précédent comment calculer certains pourcentages. La méthode était simple et aurait pu suffire s'il n'existait pas d'autres problèmes liés aux pourcentages. En effet, nous pouvons (en utilisant la méthode exposée au chapitre précédent) trouver aisément le nouveau prix de divers articles **après** une augmentation ou une réduction. Mais qu'en est-il lorsqu'il s'agit de retrouver le prix d'un objet **avant** sa fluctuation (en pourcentage) ?

Exemple :

Supposons que vous trouviez un pantalon coûtant 25 € dans un magasin affichant que tous les prix ont subi une baisse de 20 %. *Quel était le prix de ce pantalon **avant** qu'il ne soit soldé ?*
Vous ne pouvez pas prendre les 25 € et les augmenter de 20 % !

Attention ! Un pourcentage seul ne signifie rien. Il faut donc toujours préciser à quelle grandeur le pourcentage se rapporte (15 % de la population..., 80 % du temps..., 10 % de chances..., etc.).

Dans notre exemple, les 20 % s'appliquent au prix initial du pantalon. Comme les 25 € représentent le prix final (après réduction), il n'y a aucune raison de calculer 20 % de ces 25 €. Il faut donc se débrouiller autrement.

1ʳᵉ méthode : l'utilisation d'un tableau de proportionnalité (déjà vu au chapitre 3).

Il suffit de constater que si l'article est soldé à hauteur de 20 %, cela signifie que nous n'allons payer que 80 % du prix initial de l'article. Nous pouvons donc établir le tableau suivant :

	Prix	Pourcentage
Initialement	X	100 %
Au final	25 €	80 %

Et par suite, le calcul de X s'effectuant comme décrit au chapitre 3, on trouve :

$$X = \frac{25 \times 100}{80} \text{ ; c'est-à-dire : } X = 31,25.$$

Donc, avant d'être soldé, le pantalon coûtait 31 € 25.

Autre exemple :

Le montant des factures relatives à une année de consommation de carburant s'élève à 1 138,50 €. Sachant qu'en moyenne le prix du carburant a augmenté de 15 % sur l'année, quelle somme aurait-il fallu dépenser l'année précédente pour la même consommation ? Autrement dit, il faut trouver le nombre qui, augmenté de 15 %, donne 1 138,50.

À ce niveau du chapitre, j'espère que vous n'envisagez pas de retrancher 15 % à 1 138,50 !
Recopions plutôt le tableau ci-dessus et remplissons-le avec les chiffres qui nous intéressent (en réalité, pour ce genre de problèmes, la ligne « Prix initial » ne change jamais).

	Prix	Pourcentage
Initialement	X	100 %
Au final	1 138,50 €	115 %

$$X = \frac{1\ 138,50 \times 100}{115}\ ; \text{c'est-à-dire } X = 990.$$

Donc, sans la hausse de 15 % et pour la même consommation de carburant, la somme des montants des factures s'élèverait à 990 €.

2ᵉ méthode : l'utilisation du coefficient (ou nombre !) propre à la variation du prix.

Ce coefficient s'établit simplement :
Si un prix subit une **hausse** de 20 %, son coefficient s'élève à : 1 + 20 % ; que l'on peut écrire 1 + 0,2. Le coefficient de variation vaudra donc 1,2.
En revanche, si un prix subit une **baisse** de 20 %, alors son coefficient de variation s'obtiendra en posant l'opération suivante : 1 − 20 % ; que l'on peut écrire 1 − 0,2. C'est-à-dire 0,8.

Pour retrouver la valeur d'un nombre AVANT qu'il ait subi une hausse ou une baisse d'un certain pourcentage, il suffit de DIVISER ce nombre par son coefficient de variation.

Ainsi, si vous désirez connaître le prix initial d'un ordinateur dont l'étiquette indique qu'il ne coûte plus que 731 € après une réduction de 15 %, vous pouvez procéder comme suit :

1. Calcul du coefficient de variation :

Baisse de 15 % → 1 − 0,15 = 0,85.
Notre coefficient vaut 0,85.

2. <u>Calcul du prix avant la réduction :</u>

$$731 \div 0,85 = 860.$$

L'ordinateur coûtait donc 860 €. Ce qui vous permet de savoir qu'en l'achetant aujourd'hui vous réalisez une économie de 129 € par rapport à ceux qui auraient acheté le même ordinateur avant la ristourne de 15 %.

Supposons maintenant que nous ne soyons plus l'acheteur mais le vendeur. D'une part, nous possédons un article que nous souhaitons vendre 256,50 €. D'autre part, notre clientèle a l'habitude de marchander et nous désirons la satisfaire en lui accordant une réduction de 10 % sur le prix de l'article. Quel montant devons-nous inscrire sur l'étiquette du prix pour qu'après la réduction de 10 % nous vendions l'article pour la somme de 256,50 € ?

Nous souhaitons connaître le prix avant la réduction de 10 % pour pouvoir l'afficher. Celles et ceux qui proposeraient d'augmenter 256,50 € de 10 % sont invités à s'en abstenir et à reprendre depuis le début la lecture de ce chapitre !

Pour les autres, réutilisons la méthode décrite précédemment :

1. <u>Calcul du coefficient de variation :</u>

Réduction de 10 % → 1 − 0,10 = 0,9.
Notre coefficient vaut 0,9.

2. <u>Calcul du prix avant la réduction :</u>

$$256,50 \div 0,9 = 285.$$

L'étiquette de l'article devra annoncer un prix de 285 €.

Une question que nous pourrions nous poser en tant que vendeur et que nous avions laissée en suspens au chapitre précédent est : *Réduire un prix de 10 % puis de 20 %, est-ce la même chose que de le réduire d'abord de 20 % puis de 10 % ?*

Pour répondre à cette question utilisons le fait que **pour trouver la valeur d'un nombre APRÈS qu'il a subi une hausse ou une baisse d'un certain pourcentage, il suffit de MULTIPLIER ce nombre par son coefficient de variation.**
Nous pouvons à présent comparer l'influence exercée sur le prix final par l'ordre des réductions. Prenons une voiture coûtant 12 000 € et faisons-lui subir deux baisses successives de 5 % puis de 10 %.

1. Calcul du 1er coefficient de variation :

   Réduction de 5 % → 1 − 0,05 = 0,95.

2. Calcul du prix après la 1re réduction :

   12 000 × 0,95 = 11 400.
   Après la première réduction le véhicule coûte 11 400 €.

3. Calcul du 2nd coefficient de variation :

   Réduction de 10 % → 1 − 0,10 = 0,9.

4. Calcul du prix après la 2de réduction :

   11 400 × 0,9 = 10 260.
   Au final, la voiture coûte 10 260 €.

Prenons à présent une autre voiture (nous en avons les moyens !) coûtant 12 000 €. Faisons-lui subir les deux baisses mais dans l'ordre inverse.

1. Calcul du 1er coefficient de variation :

   Réduction de 10 % → 1 − 0,10 = 0,9.

2. Calcul du prix après la 1re réduction :

   12 000 × 0,9 = 10 800.
   Après la première réduction le véhicule coûte 10 800 €.

3. <u>Calcul du 2nd coefficient de variation :</u>

Réduction de 5 % → 1 − 0,05 = 0,95.

4. <u>Calcul du prix après la 2de réduction :</u>

10 800 × 0,95 = 10 260.
Au final, la voiture coûte 10 260 €.

On retrouve le même prix final. Cela n'a rien d'étonnant et n'est pas dû au hasard puisqu'en fin de compte, dans le premier exemple, nous avons multiplié le prix initial par 0,95 puis par 0,9 tandis que, dans le second exemple, le prix a été multiplié d'abord par 0,9 puis par 0,95. La commutativité de la multiplication fait le reste.

Conclusion : l'ordre dans lequel on effectue les différents calculs de hausses ou de baisses successives n'a aucune incidence sur le prix final.

Rappels

La TVA

La TVA (Taxe sur la Valeur ajoutée) est un impôt proportionnel au prix hors taxe (prix HT) d'une marchandise (bien ou service). Les trois taux actuellement en application sont : 19,6 %, 5,5 % et 2,1 %.

On appelle prix TTC (Toutes Taxes comprises) la somme du prix HT et de sa TVA.

Schématiquement : l'acheteur paye le prix TTC, le vendeur gagne le prix HT et reverse aux impôts la TVA.

Pour vous entraîner

1) Un article de sport coûte 25 € TTC. Sachant que le taux de TVA est de 19,6 %, quel est son prix HT ?

2) Les prix de l'immobilier ont grimpé de 10 % dans un laps de temps relativement court. Quel était le prix d'un appartement, coûtant aujourd'hui 203 500 €, avant cette hausse des prix ?

3) Vous entrez dans un magasin dans lequel tous les prix viennent de subir une baisse de 20 %. Vous dépensez 210 € pour l'achat de marchandises. Quelle économie avez-vous réalisée en achetant ces articles après réduction ?

Solutions :

1) L'article de sport coûte 20,90 € HT.
2) Le prix de l'appartement était de 185 000 €.
3) L'économie réalisée est de 52,50 €.

« Hâte-toi lentement ! »

C'est les vacances d'été ! Il fait beau, la voiture est remplie de bagages et (à votre grand étonnement) il reste encore de la place pour votre petite famille. Vous embarquez tout ce petit monde et prenez la route en direction des plages ensoleillées. Vous n'êtes pas encore sorti(e) de votre quartier que déjà votre petit dernier vous interpelle en vous demandant : « On arrive quand ? » Vous connaissez le besoin qu'ont les enfants (surtout le vôtre !) d'avoir des réponses satisfaisantes à leurs questions. Vous avez donc conscience qu'une réponse évasive du genre : « Dans longtemps » ne fera qu'éveiller sa curiosité et vous exposera au flot quasi incessant des questions de votre progéniture, du genre : « C'est quoi dans longtemps ? » ou : « Et maintenant, on arrive bientôt ? » Vous n'avez pas envie de subir un tel « harcèlement » tout au long des 800 kilomètres qui vous attendent. *Vous devez donc estimer la durée de votre trajet.* Puisque vous connaissez déjà la longueur du trajet, il vous reste à estimer votre vitesse moyenne. Le cas le plus simple est celui où vous empruntez l'autoroute en ayant l'opportunité de rouler à une vitesse sensiblement égale à 130 km.h^{-1} (autre notation pour km/h). Compte tenu des arrêts aux péages, votre vitesse moyenne avoisine les 120 km.h^{-1}.

Pour déterminer avec une bonne approximation la durée de votre trajet, il suffit de diviser votre nombre de kilomètres par 2. Le résultat donne, en minutes, le temps pendant lequel vous roulez. Ici : 800 × 2 = 400. Donc vous roulerez durant 400 minutes, soit 6 h 40 (pour la conversion des minutes en heures, voir le chapitre suivant). À ce temps n'oubliez pas de rajouter une demi-heure de pause toutes les 2 heures pour vous reposer et permettre à vos passagers de soulager leurs jambes et leur vessie, à votre véhicule de se refroidir et de se réapprovisionner en carburant.

En 6 h 40 vous devriez vous arrêter 3 fois. D'où :
6 h 40 + 3 × 1/2 h = 6 h 40 + 1 h 30 = 8 h 10.

Si vous décidez d'emprunter les routes nationales et départementales, l'estimation de la vitesse moyenne est alors plus délicate. La vitesse y est limitée à 90 km.h^{-1} mais vous allez traverser diverses agglomérations dans lesquelles l'aiguille de votre tachymètre ne doit pas afficher de nombre supérieur à 50. De plus, vous pouvez rencontrer des stops et des feux rouges qui ramèneront, l'espace d'un instant, votre vitesse à... 0 km.h^{-1} ! Cependant, la plupart du temps, en prenant comme vitesse moyenne 80 km.h^{-1}, on arrive à une assez bonne estimation de la durée du trajet.

Pour obtenir votre temps de conduite, il vous faut diviser la distance du parcours par votre vitesse moyenne. Ainsi, si vous devez couvrir une distance de 200 km en n'empruntant que des routes nationales ou départementales, vous obtiendrez la durée de votre voyage en effectuant la division suivante : 200 ÷ 80 = 2,5.

Vous conduirez donc pendant environ deux heures et demie.

Astuce : pour effectuer mentalement la division par 80, il suffit de diviser successivement par 10, puis trois fois par 2. Ainsi, pour diviser de tête 600 par 80, il suffit d'effectuer rapidement les calculs suivants :

1. 600 ÷ 10 = 60.
2. 60 ÷ 2 = 30.
3. 30 ÷ 2 = 15.
4. 15 ÷ 2 = 7,5.

Bien sûr, les vitesses moyennes annoncées jusqu'à présent ne sont valables que sur route sèche. Si la pluie devait accompagner votre odyssée, comptez à peu près 10 % de temps en plus (puisque après la lecture des chapitres 5 et 6 les pourcentages n'ont plus de secret pour vous !).

La pluie justement, parlons-en ; ou plus précisément des orages. Dans le ciel, obscurci par de sombres nuages, des éclairs apparaissent et disparaissent brusquement en produisant une intense lumière. La mélopée des gouttes d'eau s'écrasant de-ci de-là et rappelant le jet d'une douche est interrompue par le grondement sourd du tonnerre. *Pourquoi y a-t-il un temps de latence entre le moment où l'on aperçoit l'éclair et celui où l'on entend le tonnerre ?*

Sans trop nous appesantir sur les détails, rappelons simplement que le gros nuage (cumulo-nimbus) à l'origine des orages génère un important courant électrique. Les molécules d'air traversées par ce courant émettent de la lumière (c'est l'éclair) et se dilatent brusquement sous l'effet de la chaleur en créant une succession d'ondes de choc (c'est le tonnerre et son grondement). Mais pourquoi l'éclair et le tonnerre qui sont engendrés par un même phénomène ne se manifestent-ils pas simultanément ? La raison en est simple. *La lumière et le son n'ont pas la même vitesse.*

La lumière de l'éclair parcourt approximativement 300 000 kilomètres en 1 seconde. C'est-à-dire qu'en l'espace d'une seconde elle couvre une distance supérieure à six fois le tour de la Terre.

Le son du tonnerre, quant à lui, ne parcourt « que » 334 mètres par seconde (dans l'air). Ce qui signifie que pour parcourir une distance équivalente à un seul tour de Terre, le son aura besoin d'un peu plus de 37 heures !

En pratique, on peut considérer que l'on voit l'éclair au moment où il se crée. Par conséquent, supposons qu'il faille attendre 3 secondes après avoir aperçu un éclair pour entendre le tonnerre. Comme en 3 secondes le son parcourt une distance d'environ 1 km, cela signifie que l'éclair se situait à... 1km.

Donc, en mesurant le temps qui sépare un éclair du tonnerre, on peut estimer la distance à laquelle l'orage se trouve. Il suffit de diviser le nombre de secondes par 3 pour obtenir la distance en kilomètres. Ainsi, par exemple, si vous comptez 8 secondes entre le moment où vous apercevez l'éclair et celui où vous entendez le tonnerre, à combien de kilomètres de vous le fascinant phénomène électrique s'est-il produit ?

Facile :

1. $8 \div 3 \approx 2{,}666$.
2. L'orage se situe donc à approximativement 2,7 km.

La connaissance de cette information est, soit dit en passant, plus ludique que pratique ! Mais comme à l'origine du chapitre nous cherchions un moyen d'occuper les enfants...

Rappels

Vitesse moyenne = *distance parcourue ÷ temps pour effectuer le trajet.*

L'unité de la vitesse dépendra des unités de distance et de temps. Si la distance est exprimée en kilomètres et le temps en minutes, alors la formule donnera la vitesse en kilomètres par minute (km.min⁻¹).

Distance parcourue = *vitesse moyenne × temps pour effectuer le trajet.*

> **Attention !** Pour que la formule fonctionne, il faut que l'unité de *temps* soit la même que celle qui intervient dans l'unité servant à exprimer la *vitesse*. Si la vitesse est donnée en **mètres** par seconde, alors le temps doit être exprimé en secondes ; le résultat de la multiplication donnera (dans cet exemple) la distance en **mètres**.

Temps pour effectuer le trajet = *distance parcourue ÷ vitesse moyenne.*

> **Attention !** Pour que la formule fonctionne, il faut que la *distance* soit exprimée dans la même unité que celle servant à définir la *vitesse*. Si la vitesse est donnée en *kilomètres* par **heure**, alors les distances devront être indiquées en *kilomètres*. Le résultat de la division donnera ici le temps en **heures**.

Pour vous entraîner

1) Combien de temps vous faudra-t-il pour parcourir la distance Nice-Toulouse (580 km environ) en empruntant l'autoroute ?
   Remarque : il fait beau ! La route est donc sèche et vous vous arrêtez régulièrement pour vous reposer.

2) Vous venez de couvrir une distance de 5 km en courant pendant 20 min.
   Quelle a été votre vitesse moyenne de course ?

3) Vous roulez à 90 km.h^{-1} pendant 1 h 15 min. Quelle distance avez-vous parcourue ?

Solutions :

1) Les 580 km seront « avalés » en 290 min, soit 4 h 50 min.
   Vous devrez vous arrêter 2 fois.
   Durée du voyage : 5 h 50 min.

2) Vous avez couru à la vitesse moyenne de 15 km.h^{-1}.

3) Vous avez parcouru 112,5 km.

Le temps, c'est de l'argent

Nous avons été amenés dans le chapitre précédent à faire des calculs de durées dont les résultats nécessitaient parfois une « transformation ». En effet, il semble assez peu naturel d'exprimer un laps de temps sous la forme : 2,3 heures. Comment convertir ce nombre en notation plus familière : heures, minutes (et éventuellement secondes) ? Ces « 2,3 heures » ne correspondent évidemment pas à « 2 heures et 3 minutes », pas plus qu'à « 2 heures 30 minutes ». Alors comment se débarrasser de ce « ,3 » qui nous gêne tant ?

Tout d'abord, isolons l'élément « perturbateur » en remarquant que :

$$2,3 \text{ h} = (2 + 0,3) \text{ h}.$$

C'est-à-dire :

$$2,3 \text{ h} = 2 \text{ h} + 0,3 \text{ h}.$$

Nous savons à combien de temps correspondent 2 heures ! En revanche, nous ne sommes pas trop habitués à dire : « Je m'absente un moment, je serai de retour dans 0,3 heure » ! Il nous faut donc exprimer ce laps de temps d'une autre façon. Et c'est là que nous faisons intervenir le fait qu'une heure est composée de 60 minutes.

Si 1 h correspond à 1×60 min, alors 0,3 h correspond à $0,3 \times 60$ min ; ce qui fait 18 min.

En conclusion : 2,3 h = 2 h 18 min .

Prenons un autre exemple et supposons que vous lisiez sur une facture que la main-d'œuvre pour la réparation de votre voiture coûte 40 €. Le prix unitaire affiché est de 25 € (tous les prix étant TTC). Combien de temps le garagiste a-t-il passé à travailler sur votre véhicule ?

1. $40 \div 25 = 1,6$ donc le garagiste a travaillé 1,6 h.
2. $1,6 \text{ h} = 1 \text{ h} + 0,6 \text{ h}$ 1 h ne pose pas de problème ; reste 0,6 h.
3. $0,6 \times 60 = 36$ donc 0,6 h = 36 min.
4. Conclusion : le temps passé sur la voiture est de 1 h 36 min .

Voyons enfin comment, parfois, des secondes peuvent apparaître lors de la conversion. Appliquons la méthode décrite précédemment à 3,14 h (le nombre π n'a rien à voir !).

1. $3,14 \text{ h} = 3 \text{ h} + 0,14 \text{ h}$.
2. $0,14 \times 60 = 8,4$.

Nous voilà bien avancé ! Nous avons trouvé que 3,14 h valaient 3 h 8,4 min. Qu'allons-nous faire de cette virgule ? Nous allons nous en débarrasser en utilisant le fait qu'une minute est composée de... 60 secondes ! Donc :

1. $8,4 \text{ min} = 8 \text{ min} + 0,4 \text{ min}$.
2. $0,4 \times 60 = 24$.
3. Conclusion : 3,14 h = 3 h 8 min 24 s .

Le lecteur pointilleux voudra satisfaire sa curiosité et ne manquera pas de demander ce qu'il convient de faire lorsque le nombre de secondes possède lui aussi une virgule. L'auteur, impressionné par tant d'intérêt, s'empressera de le rassurer en lui indiquant que les éventuels chiffres qui suivraient la virgule font référence aux dixièmes de seconde, aux centièmes de seconde, aux millièmes de seconde, etc.

Maintenant que nous savons aisément passer de la notation sexagésimale à la notation décimale (n'ayez pas peur de ces vocables d'aspect quelque peu abstrus, ils décrivent simplement (!) la méthode décrite en début de chapitre), nous allons focaliser toute notre attention sur la transformation inverse, c'est-à-dire convertir un temps exprimé en heures, minutes (et éventuellement secondes) en un nombre exclusivement d'heures. En effet, supposons que votre rémunération se calcule sur la base de 20 € par heure de travail et que vous ayez œuvré pendant 2 h 36 min, combien percevrez-vous pour vos services ?

Cette fois-ci, nous souhaitons nous « débarrasser » des minutes et les transformer en heures. Puisque précédemment, pour passer des heures aux minutes, nous avons utilisé la multiplication par 60, nous allons à présent utiliser l'opération inverse : la division par 60.

1. $36 \div 60 = 0,6$.
2. Donc : 2 h 36 min = 2 h + 0,6 h   (i.e. vous avez travaillé durant 2,6 h).
3. Par conséquent, vous devriez être payé(e) :

$$\boxed{20 \, € \times 2,6 = 52 \, €}.$$

La méthode est analogue si l'on tient compte aussi des secondes. Ainsi, 8 h 42 min 12 s se transformera de la façon suivante :

1. *Transformons les secondes en minutes* :
   $12 \div 60 = 0,2$ donc 12 s = 0,2 min.

2. *Nous savons déjà que* :
   8 h 42 min 12 s = 8 h 42,2 min.

3. *Transformons les minutes en heures* :
   $42,2 \div 60 \approx 0,7$ donc 42,2 min $\approx$ 0,7 h.

4. $\boxed{8 \text{ h } 42 \text{ min } 12 \text{ s} \approx 8,7 \text{ h}}$

Pour vous entraîner

1) Vous calculez que vous allez rouler pendant 1,2 h. Ce temps correspond à 1 h et... combien de minutes ?

2) Vous venez de travailler durant 2 h 10 min. Vos tarifs sont de 15 € de l'heure.
Quel est le montant de votre facture ?

Solutions :

1) 1,2 h = 1 h 12 min.
2) Le montant de la facture s'élève à 32,50 €.

9

Conversons des conversions !

Tous les bateaux viennent de franchir la ligne de départ au large de Saint-Malo et s'élancent pour plusieurs jours dans une course transatlantique effrénée : la route du Rhum ! Leur but est de rejoindre le plus rapidement Pointe-à-Pitre. Bien sûr, chacun choisira sa route en fonction des conditions météorologiques et des courants marins. Mais tous devront parcourir au moins les 3 592 milles qui séparent le départ de l'arrivée.

À combien de kilomètres correspond une telle distance ?

Tout d'abord, voyons la raison pour laquelle les marins ont choisi d'utiliser comme unité de longueur les milles nautiques plutôt que les kilomètres. En effet, pourquoi ont-ils créé une nouvelle unité et n'ont-ils pas utilisé celles déjà existantes ?
Nous ne pouvons malheureusement pas relater ici toute la partie de l'histoire de la navigation qui a conduit à ce choix. Aussi, pour faire simple, nous nous contenterons de rappeler qu'en mer il était plus aisé (avant l'apparition du système GPS !) de mesurer des *angles* que des distances. Pour cela, divers instruments ont été inventés : boussole, goniomètre, sextant, etc. Ainsi, suivre un cap consiste à avoir une trajectoire qui fait un *angle* constant avec la direction du nord. Le système de coordonnées utilisé sur

la Terre (latitudes et longitudes) fait référence à des *angles*. Inutile de donner d'autres applications des angles en marine pour comprendre leur importance et leur utilité. Mais quel lien y a-t-il entre les angles et les milles ?

« Un mille correspond à la distance moyenne de deux points de la surface de la Terre qui ont même longitude et dont les latitudes diffèrent d'un angle de 1 minute. »

D'où l'égalité : 1 mille = 1 852 mètres .

Conclusion : pour convertir des milles en kilomètres, il suffit de multiplier le nombre de milles par 1,852. Ainsi, comme : 3 592 × 1,852 ≈ 6 652, on en déduit que les lignes de départ et d'arrivée de la route du Rhum sont distantes d'environ 6 652 km.

Astuce
Pour obtenir rapidement une assez bonne estimation de la distance en kilomètres, il suffit de multiplier le nombre de milles par 2 puis d'enlever 10 % au résultat.

Exemple :

À quelle distance, en kilomètres, correspondent 250 milles ?

1. 250 × 2 = 500.
2. 10 % de 500 valent 50.
3. 500 − 50 = 450.
4. Donc : 250 milles ≈ 450 km.

Remarques
Le mille est aussi utilisé en aéronautique. Cependant, l'altitude des avions s'exprimera plutôt en *pieds*.
Ne pas confondre le mille avec le mile (mesure anglo-saxonne égale à 1 609 m).

Mais comme les navigateurs n'expriment pas les distances en mètres alors les vitesses, quant à elles, ne se mesureront pas en km.h⁻¹. l'unité usitée pour exprimer les vitesses en mer (et dans les airs) est le *nœud*.

Cette unité tient son nom de la méthode employée autrefois pour évaluer la vitesse d'un navire. Un marin jetait à l'eau un morceau de bois triangulaire (le *loch*) attaché à une corde sur laquelle des nœuds avaient été faits à intervalles réguliers de 15,435 m (soit $1/120^e$ de mille). Le loch, freiné par l'eau, déroulait la corde à nœuds. On comptait alors le nombre de nœuds ainsi entraînés dans l'eau durant un intervalle de 30 secondes (soit $1/120^e$ d'heure). Le résultat donnait le nombre de milles parcourus en une heure, si la vitesse restait constante. Donc : 1 nœud = 1 mille.h⁻¹ C'est-à-dire :

> 1 nœud = 1,852 km.h⁻¹

Finalement, le procédé pour convertir les nœuds en km.h⁻¹ est le même que celui permettant de transformer les milles en km.

Par conséquent, si nous prenons l'exemple d'un bateau filant à 15 nœuds, nous pouvons obtenir rapidement une estimation de sa vitesse en km.h⁻¹ en opérant de la façon suivante :

1. $15 \times 2 = 30$.
2. 10 % de 30 valent 3.
3. $30 - 3 = 27$.
4. Donc le bateau se déplace à la vitesse de 27 km.h⁻¹.

Vous voilà fin prêt à appareiller !

RAPPELS

Les mesures des angles

Les degrés (notés « ° ») : un tour complet représente 360 °. Chaque degré est subdivisé en soixante **minutes** (que l'on écrira 60'). C'est évidemment <u>cette</u> minute qui intervient dans la définition du mille ! Enfin, si l'on souhaite plus de précision, on peut découper chaque minute en soixante **secondes** (notées 60").

La longitude et la latitude sont des mesures d'angles qui permettent de localiser un point à la surface de la Terre. La longitude désigne l'angle formé par le méridien de Greenwich et le méridien sur lequel se situe le point que l'on souhaite indiquer. La latitude désigne l'angle formé par l'équateur et le parallèle sur lequel se trouve le point à repérer.

Les grades (notés « gr ») : un tour complet représente 400 gr. Le grade possède une unité « jumelle » : le **gon**. Ces unités restent relativement peu usitées en France.

Les radians (notés rad) : un tour complet représente 2π rad. Le radian est par définition « une mesure de l'angle plan qui, ayant son sommet au centre d'un cercle, intercepte sur la circonférence de ce cercle un arc dont la longueur est égale à celle du rayon ».

Pour vous entraîner

1) Essayez de calculer mentalement à combien de kilomètres correspondent 300 milles.
2) Exprimez en km.h^{-1} la vitesse d'un navire se déplaçant à 22 nœuds.
3) Un bateau vient de parcourir 50 milles à 8 nœuds de moyenne. Combien de temps lui a-t-il fallu ?

Solutions :

1) De tête, on estime que : 300 milles ≈ 540 km (avec la calculatrice on trouve la valeur exacte : 555,6 km).
2) De tête, on trouve : 22 nœuds ≈ 40 km.h^{-1}.
3) 50 ÷ 8 = 6,25 ; Le bateau a navigué pendant 6 h 15 min.

Ça va chauffer !

Vous venez enfin d'atterrir à l'aéroport de New York. Le vol s'est bien déroulé et l'hôtesse vous annonce (en anglais !) que la température à l'extérieur est de 50 °F (cinquante degrés Fahrenheit). Lorsque vous avez quitté Paris la température était de 20 °C (vingt degrés Celsius). Fait-il plus chaud ou plus froid à New York qu'à Paris ? Devrez-vous vous couvrir avant de sortir de l'appareil climatisé ? Autant de questions dont les réponses ne tiennent qu'à une interrogation : *comment convertir des degrés Fahrenheit en degrés Celsius ?*

Tout d'abord, pour quelle raison existe-t-il différentes échelles de températures ?
Pour mesurer une température, on utilise la propriété suivante : *tout corps chauffé a tendance à se dilater*[1].
Le Prussien Daniel Gabriel Fahrenheit versa donc un liquide (du mercure) dans un tube de verre. Il constata que la hauteur de mercure dans le tube variait en fonction de la température.
Le niveau du mercure fut au plus bas dans son tube lorsqu'il immergea ce dernier dans un mélange de glace et de

---

1. Attention ! Cette propriété n'est vraie que s'il n'y a pas de changement d'état ; ainsi la glace, en devenant liquide, diminue son volume.

sel. Il décida que ce niveau correspondrait au zéro de son échelle. Puis il entreprit de relever la hauteur de mercure dans le tube de verre pour la valeur de la température correspondant à celle du corps humain (en bonne santé). La différence de hauteur de mercure entre les deux températures fut tellement importante qu'au lieu de fixer à 12 ce dernier niveau comme il l'avait initialement prévu, il subdivisa chaque graduation en 8 parties pour finalement fixer la température du corps humain à 96 °F (elle vaut plus, en réalité, mais les imperfections du verre ont quelque peu faussé les mesures).

Le premier thermomètre était né !

Quelques années plus tard, le Suédois Anders Celsius et le Français Jean-Pierre Christin élaborent un thermomètre dont le degré zéro correspond à la température de fusion de la glace, et le degré cent correspond à la température d'ébullition de l'eau. C'est l'échelle Celsius.

Pour établir un lien entre ces deux échelles de températures, il suffit par exemple de constater que :

$$32 \text{ °F} = 0 \text{ °C et } 212 \text{ °F} = 100 \text{ °C.}$$

Ces données permettent de trouver les deux fonctions (affines !) pour convertir des degrés Fahrenheit en degrés Celsius et réciproquement.

Conversion des degrés Fahrenheit en degrés Celsius

1. Soustraire 32 au nombre de °F.
2. Diviser le résultat par 9.
3. Puis le multiplier par 5.

Transformons nos 50 °F en °C.
1. $50 - 32 = 18$.
2. $18 \div 9 = 2$.
3. $2 \times 5 = 10$.

$\boxed{50 \text{ °F} = 10 \text{ °C}}$.

Vous devriez vous couvrir avant de descendre de l'avion !
Et maintenant, comment annoncer à vos amis américains
qu'il faisait 20 °C à Paris ? En leur parlant anglais, natu-
rellement !

Conversion des degrés Celsius en degrés Fahrenheit

1. Diviser le nombre de °C par 5.
2. Multiplier le résultat par 9.
3. Puis ajouter 32.

Transformons nos 20 °C en °F.
1. 20 ÷ 5 = 4.
2. 4 × 9 = 36.
3. 36 + 32 = 68.

$\boxed{20\ °C = 68\ °F}$.

Attention ! Les deux échelles de températures ne sont
pas proportionnelles. Les exemples illustrent bien le
fait que, si une température double en °C, il n'en sera
pas de même en °F.

Remarques
Il n'existe qu'une mesure de la température qui s'ex-
prime par le même nombre dans les deux unités.

$\boxed{-\ 40\ °C = -\ 40\ °F}$.

Il existe une autre méthode pour effectuer la conversion
des °C en °F.

Conversion des degrés Celsius en degrés Fahrenheit (bis)

1. Multiplier le nombre de °C par 2.
2. Retrancher 10 % au résultat.
3. Puis ajouter 32.

Exemple :

Trouver l'équivalent en °F de 40 °C.
   1. 40 × 2 = 80.
   2. 10 % de 80 font 8 d'où : 80 − 8 = 72.
   3. 72 + 32 = 104.

   $\boxed{40\ °C = 104\ °F}$.

RAPPELS

Les degrés Kelvin

L'unité de mesure des températures utilisée dans les formules thermodynamiques est le degré Kelvin (noté K). L'écart entre deux degrés Kelvin est le même qu'entre deux degrés Celsius. Mais le degré zéro de l'échelle Kelvin se situe à – 273,16 °C. C'est la température la plus basse qui soit : *le zéro absolu*.

Par suite, pour convertir des degrés Celsius en degrés Kelvin, il suffit d'ajouter 273,16 au nombre de °C.

Pour vous entraîner

1) Convertir 15 °C en °F.

2) Convertir 14 °F en °C.

3) Convertir 18 °C en K.

4) Convertir 77 °F en K.

Solutions :

1) 15 °C = 59 °F.
2) 14 °F = – 10 °C.
3) 18 °C = 291,16 K.
4) 77 °F = 25 °C = 298,16 K.

Mesurer sans l'ombre d'un doute

Vous avez décidé de refaire le crépi extérieur de votre maison. Grâce au premier chapitre de ce livre, vous savez que pour estimer la quantité de crépi (c'est-à-dire le nombre de pots) nécessaire à l'ouvrage *vous avez besoin de connaître la hauteur de votre maison*. Les instruments de mesure habituels semblent peu adaptés pour remplir cette tâche. D'autant que, par cette belle matinée ensoleillée, vous souhaiteriez éviter les acrobaties.

Profitez plutôt du soleil ! C'est lui qui va vous aider à mesurer la hauteur de votre maison. Comment ? Tout simplement parce qu'il projette sur le sol votre ombre et celle de la maison.

Votre travail consistera à vous placer dans l'ombre de la maison (en vous rapprochant à reculons de cette dernière) de telle sorte que l'ombre du sommet de votre crâne coïncide avec l'ombre du faîte de votre toiture. Tenez-vous droit lorsque vous procédez à cette opération (!) et repérez à l'aide d'une marque la position de vos pieds au sol. Maintenant, pour obtenir la hauteur de votre maison, il ne vous reste plus que deux mesures à prendre et deux calculs à effectuer.

Tout d'abord, mesurez la longueur au sol de l'ombre de votre maison. Multipliez le nombre trouvé par votre taille (pour éviter tout problème d'unité, exprimez toutes les dimensions en mètres). Enfin, il ne vous reste plus qu'à diviser le résultat de cette multiplication par la longueur (toujours en mètres) qui sépare la marque faite précédemment à vos pieds, de l'ombre du sommet du toit.

Ça peut paraître compliqué, mais en pratique c'est très simple. Voyons à l'aide d'un schéma (qui n'est pas à l'échelle) comment appliquer cette méthode.

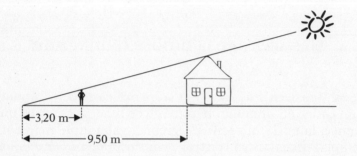

Supposons que vous mesuriez 1,75 m, que l'ombre de la hauteur de la maison fasse 9,50 m et que la distance qui sépare la marque faite à vos pieds du sommet de l'ombre soit de 3,20 m.

1. $1,75 \times 9,50 = 16,625$
2. $16,625 \div 3,20 \approx 5,20$

Conclusion, votre maison mesure environ $\boxed{5,20 \text{ m}}$.

Remarques

La précision des mesures est essentielle pour obtenir un résultat final peu différent de la réalité.

Le matin et en fin de journée les ombres sont plus grandes ; l'erreur liée à l'imprécision des mesures est alors moins importante.

Mais, me direz-vous, s'il n'y a pas de soleil, comment s'y prendre ? Devons-nous attendre le prochain équinoxe de printemps ? Que nenni !

Si le soleil n'est pas au rendez-vous, utilisez la méthode du piquet. Plantez, bien verticalement, un piquet à bonne distance du mur de la maison dont vous souhaitez évaluer la hauteur. Il vous faut maintenant vous accroupir et coller votre tête au sol (sans être acrobatique, cette méthode est physique...) de façon que l'un de vos yeux soit aligné avec le sommet du piquet et le haut du toit. En d'autres termes, vous devez vous placer de telle sorte que votre œil de visée devine le point le plus élevé de votre demeure derrière l'extrémité supérieure du piquet.

Après quelques déplacements à quatre pattes qui ne manqueront pas d'amuser vos voisins, vous arriverez certainement à la position requise. Effectuez alors une marque à l'emplacement de votre tête. Tout est prêt pour évaluer la hauteur de votre maison.

Pour retrouver un semblant de contenance après ces poses plus ou moins grotesques, mesurez respectivement et le plus dignement possible :

- la distance séparant la maison de votre marque,
- la distance entre le piquet et la marque,
- la hauteur du piquet.

En divisant la première distance par la deuxième, et en multipliant le résultat par la taille du piquet, vous obtiendrez une assez bonne estimation de la hauteur de votre maison.

Pour illustrer notre propos, utilisons de nouveau un schéma (qui n'est toujours pas à l'échelle).

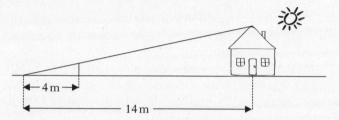

Imaginons que pour appliquer la méthode du piquet vous utilisiez un manche de râteau. Vous demandez à quelqu'un de le tenir verticalement pendant que vous reculez jusqu'à ce qu'en reposant votre tête au sol vous vous retrouviez dans la position décrite précédemment. Vous faites une marque à l'endroit où votre tête était en contact avec le sol.

Vous constatez alors que la distance de la marque au râteau est de 4 m, et que 14 m séparent votre marque de la maison (comme indiqué sur le schéma). Sachant que votre râteau mesure 1,50 m, vous pouvez effectuer les calculs suivants :

1. $14 \div 4 = 3,5$.
2. $3,5 \times 1,50 = 5,25$.

Vous pouvez donc estimer la hauteur de votre maison à $\boxed{5,25 \text{ m}}$ (résultat peu différent de celui trouvé avec la première méthode).

Le théorème de Thalès

Considérons deux droites (Δ_1) et (Δ_2) sécantes en O et deux autres droites (D_1) et (D_2) coupant (Δ_1) et (Δ_2) en A,B,C et D comme indiqué sur la figure suivante :

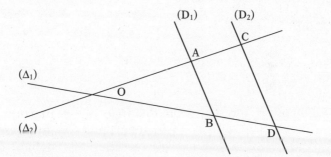

- Si les droites (D1) et (D2) sont parallèles, alors on a la double égalité :

$$\frac{\overline{OA}}{\overline{OC}} = \frac{\overline{OB}}{\overline{OD}} = \frac{\overline{AB}}{\overline{CD}}$$

- Réciproquement, si les deux égalités suivantes sont vraies :

$$\frac{\overline{OA}}{\overline{OC}} = \frac{\overline{OB}}{\overline{OD}} = \frac{\overline{AB}}{\overline{CD}}$$

alors les droites (D1) et (D2) sont parallèles.

La notation $\overline{OA}$ (lire « mesure algébrique de OA ») caractérise l'« orientation » du segment [OA]. Ainsi, soit les trois fractions auront leurs deux segments qui ont la même orientation (comme dans la figure ci-dessus), soit les trois fractions seront constituées de segments d'orientation contraire (comme dans la figure ci-après).

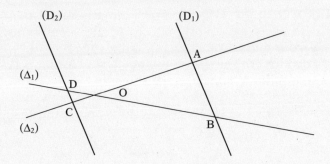

Pour vous entraîner

Donnez une estimation de la hauteur de la maison si vous obtenez, avec un piquet de 80 cm, les mesures suivantes :

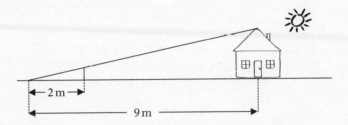

Solution :

80 cm = 0,8 m et 9 ÷ 2 × 0,8 = 3,6.

La maison fait approximativement ⬚ 3,60 m ⬚ de hauteur.

Je m'abonne ou pas ?

Vous voici affecté pour une durée de trois mois à l'autre bout de la France pour y suivre un stage de formation. Les frais d'hébergement sur place vous sont remboursés ou ont déjà été pris en charge par votre employeur. Cependant, vous souhaitez profiter au maximum de votre famille et de vos proches. Pour ce faire, vous vous informez sur les tarifs des billets de train.

Le prix de 120 € pour l'aller et retour vous semble onéreux. D'autant que vous envisagez d'effectuer le trajet le plus souvent possible. Vous vous renseignez et l'on vous indique qu'il est possible, moyennant un abonnement, de payer vos billets 25 % moins cher. Sachant que le montant de la carte d'abonnement s'élève à 280 €, *à partir de combien d'allers et retours l'abonnement devient-il avantageux* ?

Tout d'abord, calculons le prix d'un billet pour un abonné.
1. $120 \times 25\% = 30$.
2. $120 - 30 = 90$.

Le prix du billet pour un abonné sera de 90 €.

Une première façon de répondre à la question posée en préambule consiste à dresser la liste comparative (avec et sans abonnement) du cumul des coûts des trajets.

Le tableau comparatif

Nombre d'allers et retours	Prix sans abonnement	Prix avec abonnement
1	120 €	370 €
2	240 €	460 €
3	360 €	550 €
4	480 €	640 €
5	600 €	730 €
6	720 €	820 €
7	840 €	910 €
8	960 €	1000 €
9	1080 €	1090 €
10	1200 €	1180 €
11	1320 €	1270 €

On compare ligne par ligne la somme totale déboursée. On s'aperçoit que les montants de la colonne de droite sont supérieurs à ceux de la colonne centrale pour les 9 premiers allers et retours. C'est donc à partir du 10e trajet que l'investissement généré par l'abonnement va s'avérer avantageux.

La méthode est efficace mais peut se révéler longue et fastidieuse. Voyons ensemble une autre façon de répondre à la question posée en début de chapitre.

Formule d'intersection

1. Calculer la différence de prix entre un billet plein tarif et un billet à tarif réduit.
2. Diviser le montant de l'abonnement par la différence trouvée précédemment.

Le nombre obtenu, débarrassé de sa partie décimale, indique le nombre maximum de voyages pour lesquels il est préférable de ne pas prendre d'abonnement.

Appliquée à notre exemple, la formule donne :
1. 120 € − 90 € = 30 €.
2. 280 € ÷ 30 € ≈ 9,33.

On retrouve ainsi le nombre 9 (c'est 9,33 privé de sa partie décimale) ; seuil au-delà duquel l'abonnement devient avantageux.

Prenons un autre exemple

Vous hésitez à investir dans l'achat d'une carte de cinéma. Cette carte qui coûte 26 € vous permet d'acheter pendant un an vos places au prix unitaire de 4,5 € au lieu des 8 € plein tarif. Combien de fois devez-vous vous rendre au cinéma pour amortir votre carte ?
La deuxième méthode étant plus concise, c'est elle que nous utiliserons pour résoudre ce problème.
1. 8 € − 4,5 € = 3,5 €.
2. 26 € ÷ 3,5 € ≈ 7,43.

Seul le 7 nous intéresse. Il nous permet de conclure que les personnes qui comptent se rendre 7 fois (ou moins) au cinéma dans l'année n'ont pas intérêt à prendre la carte. En revanche, l'achat de la carte s'avère rentable pour celles qui iront au moins 8 fois dans les salles obscures.

RAPPELS

Fonctions affines et fonctions linéaires

Les fonctions affines sont du type : $f(x) = ax + b$, où a et b désignent deux nombres réels.

Exemples de fonctions affines :

$f(x) = 2x + 3$	$f(x) = -4x - 2$	$f(x) = \dfrac{\pi}{7}x + \sqrt{5}$
$a = 2$ et $b = 3$	$a = -4$ et $b = -2$	$a = \dfrac{\pi}{7}$ et $b = \sqrt{5}$

La fonction qui permet de convertir les degrés Celsius en degrés Fahrenheit est affine. C'est la fonction :

$$f(x) = 1{,}8x + 32.$$

La fonction qui permet de convertir les degrés Fahrenheit en degrés Celsius est affine. C'est la fonction :

$$f(x) = \frac{5}{9}x - \frac{160}{9}.$$

La représentation graphique d'une telle fonction dans un repère cartésien est *une droite*.

Le nombre a s'appelle le *coefficient directeur*. Il nous donne des renseignements sur la pente de la droite :
- *si a > 0*, la droite monte quand on la dessine de la gauche vers la droite,
- *si a < 0*, la droite descend quand on la dessine de la gauche vers la droite.
- *si a = 0*, la droite est horizontale (parallèle à l'axe des abscisses).

Le nombre b s'appelle l'*ordonnée à l'origine*. Il désigne l'endroit de l'axe des ordonnées par lequel passe la droite.
Dans le cas particulier où b = 0, la fonction est dite linéaire.
Les fonctions linéaires sont donc de la forme : $f(x) = ax$, où a désigne un nombre réel.

La représentation graphique d'une telle fonction est une droite passant par l'origine.

Pour vous entraîner

1) Un magasin de jeux vidéo propose d'acheter pour 35 € une carte d'abonnement permettant pendant 1 an d'acquérir pour 25 € les jeux exposés dans sa vitrine. Sans la carte, chaque jeu coûte 30 €.
Combien faudra-t-il prendre de jeux dans l'année (au minimum) pour que l'achat de la carte se révèle intéressant ?

2) Une agence de voyages propose des excursions en autocar. Le client a le choix entre deux formules tarifaires.
1re formule : le client paye 5 € par kilomètre parcouru.
2de formule : le client paye un forfait de 100 € de sorte que chaque kilomètre parcouru ne lui coûte que 4,20 €.
Jusqu'à quelle distance la première formule est-elle la plus avantageuse ?

Solutions :

1) Il faudra acheter au moins 7 jeux dans l'année pour que la carte se révèle rentable.
2) Pour les excursions de moins de 125 km, il est préférable de choisir la 1re formule.

13

Un chapitre capital
qui ne manque pas d'intérêt

Vous avez réussi (non sans mal) à accumuler une petite somme rondelette que vous désirez faire fructifier. Seulement, vous ne souhaitez prendre aucun risque ; vous décidez de suivre le vieil adage : « Un tiens vaut mieux que deux tu l'auras. » Et puis vous avez encore en mémoire vos cours d'histoire relatant les conséquences de la crise de 1929 et son jeudi noir... Allons, ne soyez pas pessimiste ! Vous n'avez pas encore perdu l'argent que vous avez su gagner !

Il existe une grande quantité de placements que votre banquier s'est fait un plaisir de vous détailler. La plupart d'entre eux ont, entre autres caractéristiques, un taux d'intérêt. Et vous venez justement de vous décider à placer vos 10 000 € sur un livret dont le taux d'intérêt est de 3 %. *Comment calculer l'argent que vous rapporte ce capital ainsi placé ?*

Remarque
La suite faisant intervenir les pourcentages, il est préférable de bien maîtriser le chapitre *Pourcentages pourtant sages...* avant de poursuivre sa lecture.

---

13. Un chapitre capital qui ne manque pas d'intérêt

Petite précision concernant le taux d'intérêt : il s'agit de taux d'intérêt annuels. Ainsi, si vous laissez vos 10 000 € sur votre livret pendant 1 an, ils vous rapporteront 300 euros (qui correspondent à : 10 000 € × 3 %). Peut-on en conclure que chaque année le montant de votre livret va augmenter de 300 € ? Non, car les intérêts des années précédentes vont se cumuler à votre capital de départ pour eux aussi générer des intérêts. La somme placée va donc évoluer de la manière suivante :

	Capital en début d'année	Intérêts rapportés
1re année	10 000 €	300 €
2e année	10 300 €	309 €
3e année	10 609 €	318,27 €
4e année	10 927,27 €	327,82 €

Ce tableau est une façon de calculer l'argent rapporté par le capital de départ. Cependant, il soulève deux questions :

1. Peut-on connaître directement la somme d'argent disponible sur notre livret à la fin de la vingtième année sans calculer les intérêts des 19 années précédentes ?

2. Si l'on souhaite retirer l'argent en cours d'année, comment calcule-t-on les intérêts ?

La réponse à la première question s'obtient en utilisant les résultats vus dans le chapitre 6 :

En effet, il y est rappelé que : augmenter un nombre de 3 % consiste à le multiplier par le coefficient de variation 1,03.
La somme disponible sur le livret va être augmentée de 3 % chaque année pendant 20 ans. Cela signifie que nos 10 000 € vont être multipliés par 1,03 une vingtaine de fois. Ce qui, en langage mathématique, s'écrit :

$$10\ 000\ \text{€} \times \underbrace{1{,}03 \times 1{,}03 \times \dots \times 1{,}03}_{20\ \text{fois}} = 10\ 000\ \text{€} \times 1{,}03^{20}$$

Par suite, à l'aide de la touche « puissance » d'une calculatrice, il est aisé d'établir que :

$$10\ 000\ \text{€} \times 1{,}03^{20} \approx 18\ 061{,}11\ \text{€}.$$

L'expression : « Le temps c'est de l'argent » prend tout son sens puisque le simple fait d'avoir laissé de l'argent sur un compte vous a rapporté plus de 8 000 €.

Voyons à présent comment répondre à la seconde question :

Afin de rester pratique et d'éviter le recours à des mathématiques moins élémentaires comme les racines n-ième, nous n'utiliserons pas (à l'instar des banques) les taux équivalents. Nous nous bornerons à étudier les taux *proportionnels*.

Pour simplifier le calcul des taux proportionnels, le monde financier considère qu'une année se compose de 12 mois de 30 jours ; soit 360 jours ! Il y a donc une carence de cinq jours (six, les années bissextiles) par rapport à une année civile : pas de quoi en faire une révolution !

Ainsi :

– le taux d'intérêt *mensuel* vaudra un douzième du taux d'intérêt annuel,

$$\boxed{\text{taux}_{\text{mensuel}} = \text{taux}_{\text{annuel}} \div 12}$$

– le taux d'intérêt *journalier* vaudra 1/360ᵉ du taux d'intérêt annuel,

$$\boxed{\text{taux}_{\text{journalier}} = \text{taux}_{\text{annuel}} \div 360}$$

Concrètement, supposons que vous laissiez vos 10 000 € sur votre livret pendant 8 mois. De quelle somme disposerez-vous, passé ce délai ?

13. Un chapitre capital qui ne manque pas d'intérêt

1. Convertir le taux annuel de 3 % en taux mensuel.
$$\text{taux}_{\text{mensuel}} = 3\,\% \div 12 = 0{,}25\,\%.$$
Le montant du livret va augmenter de 0,25 % chaque mois pendant 8 mois.
2. D'où le calcul : 10 000 € × $1{,}0025^8 \approx$ 10 201,76 €.
3. Conclusion : votre placement vous aura rapporté 201,76 € en 8 mois.

Remarque
La banque, qui utilise les taux équivalents, ne créditera votre compte que de 199,01 €.

Enfin, si vous ne laissez vos 10 000 € que pendant 50 jours à la banque, la somme restituée par cette dernière se calcule de la façon suivante :

1. Convertir le taux annuel de 3 % en taux journalier.
$$\text{taux}_{\text{journalier}} = 3\,\% \div 360 \approx 0{,}0083\,\%.$$
Le montant du livret va augmenter de 0,0083 % chaque jour pendant 50 jours.

2. La somme cherchée est donnée par le calcul :
$$10\,000\ \text{€} \times 1{,}000083^{50} \approx 10\,041{,}58\ \text{€}.$$

Remarque
La banque vous rendra en fait 10 041,14 € (résultat obtenu à l'aide du taux journalier équivalent).

Rappels

Les suites arithmétiques et géométriques

Appelons Uranus et Vénus les deux suites de nombres suivantes :
- 10 / 13 / 16 / 19 / 22 / 25 / 28 / 31 Uranus
- 0,5 / 1 / 2 / 4 / 8 / 16 / 32 / 64 / 128 Vénus

Que remarquons-nous ?
En ajoutant 3 au 1er nombre de la suite Uranus, on obtient le 2e nombre.
En ajoutant 3 au 2e nombre de la suite Uranus, on obtient le 3e nombre.
En ajoutant 3 au 3e nombre de la suite Uranus, on obtient le 4e nombre.
Etc.

Uranus est qualifiée de suite *arithmétique*. Le nombre 3 (différence entre deux nombres consécutifs) s'appelle la *raison* de la suite.

En multipliant le 1er nombre de la suite Vénus par 2, on obtient le 2e nombre.
En multipliant le 2e nombre de la suite Vénus par 2, on obtient le 3e nombre.
En multipliant le 3e nombre de la suite Vénus par 2, on obtient le 4e nombre.
Etc.

Vénus est qualifiée de suite *géométrique*. Le nombre 2 (rapport entre deux nombres consécutifs) s'appelle la *raison* de la suite.

Pour plus de commodité, lorsqu'on désire faire référence à un nombre en particulier, on utilise la première lettre du nom de la suite que l'on fait suivre (écrit en plus petit) du rang qu'occupe ce nombre dans la suite.

Le nombre 19 appartenant à Uranus est le 4e terme de cette suite. Ce nombre 19 aura donc comme référence : U_4.

Le nombre 64 appartenant à Vénus est le 8e terme de cette suite. Ce nombre 64 aura comme référence : V_8.

Vous pouvez vérifier que : $U_7 = 28$ et $V_1 = 0,5$. Vous pouvez aussi vous assurer que, si les suites étaient plus longues, elles vérifieraient :

$$U_9 = 34 ; U_{12} = 43 ; V_{10} = 256 \text{ ou encore } V_{20} = 262\ 144.$$

Pour chaque suite, il existe une formule donnant directement la valeur d'un terme (dont le rang, noté n, est destiné à être remplacé par le nombre de notre choix), connaissant la raison de la suite et son premier terme.

$$U_n = 10 + 3(n - 1) \text{ et } V_n = 0,5 \times 2^{n-1}.$$

En remplaçant les lettres n par le nombre 12 dans la première formule, on retrouve :

$U_{12} = 10 + 3(12 - 1)$
$\quad = 10 + 3 \times 11$
$\quad = 10 + 33$
$\quad = 43.$

De même, en remplaçant les lettres n de la deuxième formule par le nombre 20, on retrouve :

$V_{20} = 0,5 \times 2^{20-1}$
$\quad = 0,5 \times 2^{19}$
$\quad = 0,5 \times 524\ 288$
$\quad = 262\ 144.$

IV. MATHS PRATIQUES, MATHS MAGIQUES

Pour finir, donnons les formules générales.

> Suite arithmétique de premier terme U_1 et de raison r :
>
> $$U_n = U_1 + r(n - 1)$$

> Suite géométrique de premier terme V_1 et de raison q :
>
> $$V_n = V_1 \times q^{n-1}$$

Pour vous entraîner

1) Vous laissez 4 000 € sur un compte à 4,5 % pendant 5 ans.
De quelle somme disposez-vous à la fin de ces 5 années ?

2) Vous placez 6 000 € sur un compte à 5 %.
Au bout de 4 mois, combien vous aura rapporté ce placement ?

3) On considère la suite suivante : 17 / 24 / 31 / 38 / 45 / 52 /...
Quel nombre occupe la 50ᵉ position ?

Réponses :

1) Votre compte présentera un solde créditeur de 4 984,73 €.

2) $\text{taux}_{\text{mensuel}} \approx 0,42$ %. Le compte sera donc crédité d'un montant de 6 101,44 €.
Ce placement vous aura rapporté 101,44 €.

3) On utilise la formule concernant les suites arithmétiques en remplaçant :
– n par 50 ;
– U_1 par 17 ;
– r par 7 ;
On trouve : U_{50} = 360.

Visa pour les « stats »

« Si 30 % des accidents de la route ont pour origine l'alcool, cela signifie que 70 % des accidents sont causés par des buveurs d'eau. Conclusion : boire avant de conduire réduit les risques d'accidents ! »

Cette blague de comptoirs illustre parfaitement le fait de pouvoir faire dire tout et n'importe quoi aux chiffres si l'on ne sait pas correctement les interpréter.

Cependant, les mauvaises interprétations des statistiques reposent le plus souvent sur le manque (voire l'absence) d'informations concernant la « marge » autour d'un résultat.

De quoi s'agit-il ? Pour le savoir, prenons l'exemple de deux élèves (appelons-les Tom et Jerry) calculant leur moyenne en mathématiques.

Tom a commencé l'année très fort avec un 20/20. Puis, pêchant par orgueil, il n'a pas révisé pour le second contrôle et a obtenu un désagréable 0/20. Sa moyenne est donc de 10/20.

Jerry, quant à lui, a eu deux fois la note de 10/20. Sa moyenne est elle aussi de 10/20.

Nous pouvons constater que Tom a obtenu des notes « éloignées » de sa moyenne ; ce qui n'est pas le cas de Jerry. Ainsi, nous nous retrouvons avec deux moyennes identiques pour caractériser les résultats très différents de deux élèves. Pour que ces moyennes soient plus significatives il est donc important de les accompagner d'un nombre qui déterminera une espèce de « distance moyenne » entre les notes obtenues et la note moyenne. Ce nombre s'appelle l'*écart type* et sa formule pour le calculer est donnée en fin de chapitre.

Pour Tom, l'écart type est de 10 tandis que pour Jerry l'écart type est de 0. Cette donnée supplémentaire permet de mieux localiser la dispersion des notes autour de la moyenne. Plus l'écart type est grand, plus la moyenne est éloignée des nombres qu'elle représente.

Ainsi, supposons que dans un groupe de dix élèves neuf obtiennent la note de 5/20 pour leur travail en anglais et que le dixième reçoive la note de 15/20. La moyenne du groupe est alors de 6/20 et l'écart type vaut 3. Cela signifie que pour « *être dans la moyenne* » il faut avoir obtenu une note comprise entre 3 et 9 (i.e. qui a moins de trois points d'écart avec la moyenne). Voici la fameuse *marge* évoquée en début de chapitre !

Il existe une autre marge qui est n'est que très rarement évoquée et qui pourtant est très importante : c'est celle qui est liée aux sondages.

En effet, apprendre que pour les élections à venir le candidat A n'est crédité que de 48 % d'intention de vote tandis que le candidat B a recueilli 52 % d'intention de vote est insuffisant pour conclure à la victoire de B. Le résultat complet d'une enquête statistique comprend :

→ **les moyennes** des réponses des personnes interrogées ;

→ **l'intervalle de confiance** (voici la marge !) ; il permet d'obtenir les valeurs entre lesquelles le résultat final a de très fortes chances de se situer ;

→ **le coefficient de confiance** qui détermine la probabilité pour que le résultat final ne soit pas compris dans l'intervalle de confiance.

Donc sur notre exemple, le résultat complet du sondage pourrait ressembler à ça :

« *48 % des personnes interrogées ont l'intention de voter pour le candidat À et 52 % pour le candidat B. L'intervalle de confiance est de 3 % avec un coefficient de confiance de 2 %.* »

La dernière phrase signifie que l'institut de sondage estime que le candidat À devrait recueillir entre 45 % (48 % − 3 %) et 51 % (48 % + 3 %) d'intentions de votes. Le candidat B devrait recueillir, d'après l'enquête, entre 49 % (52 % − 3 %) et 55 % (52 % + 3 %) des bulletins en sa faveur. Donc, si le candidat À remporte les élections avec 51 % des suffrages <u>ceci ne sera pas en contradiction avec les résultats du sondage</u>.

Le coefficient de confiance est là pour rappeler qu'il reste deux chances sur cent pour qu'il remporte les élections avec plus de 51 % des voix ou qu'il obtienne moins de 45 % des suffrages ! Bref, tout est possible même si certains résultats sont plus probables que d'autres.

La majeure partie du temps, nous accusons − à tort ! − les instituts de sondages de s'être trompés dans leurs estimations alors qu'en fait c'est nous qui interprétons mal les informations fausses (car incomplètes) qui sont mises à notre disposition.

Cela dit, soyons honnêtes et reconnaissons qu'il nous arrive parfois de mettre volontairement de côté les données objectives. C'est alors notre intuition (qui ne va pas toujours dans le sens des probabilités !) que nous préférons suivre.

Prenons l'exemple du loto ; combien d'entre nous cocheraient les six numéros 1/2/3/4/5/6 en espérant avoir autant de chances de gagner qu'en cochant six autres numéros « *quelconques* » ? Pourtant la suite 1/2/3/4/5/6 a <u>exactement la même probabilité</u> de sortie que n'importe quel autre tirage. Mais au fait, quelle est la valeur de cette probabilité ?

Pour répondre à cette question imaginons-nous le soir d'un tirage avec notre grille dans les mains. Nous avons choisi 6 numéros parmi 49. Lorsque la première boule du tirage tombera, il y aura donc **6 chances sur 49** pour que le numéro inscrit dessus soit l'un des nôtre.

Youpi, nous l'avons ! Nous regardons fébrilement les 5 autres numéros cochés sur notre grille et les 48 boules qui s'agitent encore : il y a **5 chances sur 48** pour que la deuxième boule du tirage porte l'un de nos numéros.

Et ainsi de suite ; si le deuxième numéro du tirage est l'un des nôtre alors il y aura **4 chances sur 47** pour que la troisième boule porte un des nombres restants sur notre grille. Si nous avons encore le troisième numéro, il y aura **3 chances sur 46** pour que nous ayons le quatrième numéro. Si nous l'avons, il nous reste **2 chances sur 45** pour que la pénultième boule soit gagnante pour nous. Enfin, si nous avons cinq numéros gagnant avant le tirage de la sixième boule alors il y a **1 chance sur 44** pour que notre dernier numéro soit gagnant.

La probabilité de gagner au loto se calcule donc de la façon suivante :

$$\frac{6}{49} \times \frac{5}{48} \times \frac{4}{47} \times \frac{3}{46} \times \frac{2}{45} \times \frac{1}{44} = \frac{720}{10068347520}$$

$$= \frac{1}{13983816}$$

> Il y a donc une chance sur près de quatorze millions d'obtenir les six bons numéros au loto.

Parfois, pour que l'espoir subsiste, mieux vaut ne pas avoir toutes les informations !

Rappels

Les permutations

Le nombre de façons de permuter les quatre lettres A,B,C et D s'obtient par le calcul :

$$4 \times 3 \times 2 \times 1 = 24$$

En effet, les possibilités sont :

A B C D	B A C D	C A B D	D A B C
A B D C	B A D C	C A D B	D A C B
A C B D	B C A D	C B A D	D B A C
A C D B	B C D A	C B D A	D B C A
A D B C	B D A C	C D A B	D C A B
A D C B	B D C A	C D B A	D C B A

L'expression : $4 \times 3 \times 2 \times 1$ se note **4** ! et se lit « factorielle quatre ».

Les arrangements

Pour connaître le nombre de tiercés (dans l'ordre) différents qu'il peut y avoir à l'arrivée d'une course comprenant 15 partants, on effectue le calcul :

$$15 \times 14 \times 13 = 2\,730.$$

L'expression : $15 \times 14 \times 13$ se note A_{15}^3.

Par analogie, le nombre de quintés (toujours dans l'ordre) possibles si 18 chevaux s'élancent de leur stalle est : $A_{15}^3 = 18 \times 17 \times 16 \times 15 \times 14 = 1\,028\,160.$

Les combinaisons

Afin d'effectuer une mission dans l'espace, dix astronautes se sont entraînés et sont fin prêts pour le voyage. Sachant que la navette qui doit les transporter ne peut en accueillir que six, combien d'équipages différents sont susceptibles de décoller ?

La réponse est : $\dfrac{10 \times 9 \times 8 \times 7 \times 6 \times 5}{6 \times 5 \times 4 \times 3 \times 2 \times 1} = \dfrac{151\,200}{720} = 210.$

L'expression : $\dfrac{10 \times 9 \times 8 \times 7 \times 6 \times 5}{6 \times 5 \times 4 \times 3 \times 2 \times 1}$

se note C_{10}^6 ou $\binom{6}{10}$)

Les p-listes

On vous demande, pour sécuriser une transaction, de saisir sur votre ordinateur un code composé de cinq lettres (nous nous limiterons volontairement à cinq lettres pour éviter d'aboutir à des résultats astronomiques). Combien de choix s'offrent à vous ?

Notre alphabet contenant 26 lettres, la réponse est :
$$26^5 = 26 \times 26 \times 26 \times 26 \times 26 = 11\,881\,376.$$

Les exemples que nous venons de voir peuvent être modélisés et généralisés en les identifiant aux différentes façons d'extraire des boules dans une urne.

→ Tirage de n boules parmi n <u>avec ordre</u> et <u>sans répétition</u> (les permutations) : $n!$ (factorielle n).

→ Tirage de p boules parmi n <u>avec ordre</u> et <u>sans répétition</u> (les arrangements) : A_n^p.

→ Tirage de p boules parmi n <u>sans ordre</u> et <u>sans répétition</u> (les combinaisons) : C_n^p ou $\binom{p}{n}$.

→ Tirage de p boules parmi n <u>avec ordre</u> et <u>avec répétition</u> (les p-listes) : n^p.

Pour vous entraîner

1) Vous prenez dix cartes à jouer différentes et vous les mélangez. Combien de mélanges différents pouvez-vous obtenir ?

2) Afin d'exécuter un tour de magie, on vous donne un jeu de 52 cartes et l'on vous demande de choisir une carte que vous rangerez dans une enveloppe rouge, puis une autre carte que vous cacherez dans une enveloppe bleue.
Combien de choix s'offrent à vous ?

3) Pour un autre tour de magie, on vous demande cette fois-ci de choisir 2 cartes parmi les 52 mises en éventail devant vous. Combien de paires différentes pouvez-vous choisir ?

Solutions :

1) $10! = 3\,628\,800$.

2) $A_{52}^2 = 52 \times 51 = 2\,652$.

3) $C_{52}^2 = \dfrac{52 \times 51}{2 \times 1} = 1\,326$.

Index

CATALOGUE LIBRIO (extraits)

LITTÉRATURE

MÉMO

Nathalie Baccus
Conjugaison française - n° 470
Grammaire française - n° 534
Orthographe française - n° 596
Axelle Beth, Elsa Marpeau
Figures de style - n° 710

Mathilde Brindel, Frédéric Hatchondo
Jeux de cartes, jeux de dés - n° 705

Anne-Marie Bonnerot
Conjugaison anglaise - n° 558
Grammaire anglaise - n° 601

Jean-Pierre Colignon
Difficultés du français - n° 642

Philippe Dupuis
En coédition avec le journal Le Monde

Mots croisés–1 -
50 grilles et leurs solutions - n° 699

Mots croisés–2 -
50 grilles et leurs solutions - n° 700

Mots croisés–3 -
50 grilles et leurs solutions - n° 706

Mots croisés–4 -
50 grilles et leurs solutions - n° 707

Gérard Dhôtel
Le dico de l'info - n° 743

Frédéric Eusèbe
Conjugaison espagnole - n° 644

Daniel Ichbiah
Solfège - *Nouvelle méthode simple et amusante en 13 leçons* - n° 602

Pierre Jaskarzec
Le français est un jeu - n° 672

Maria Dolores Jennepin
Grammaire espagnole - n° 712

Mélanie Lamarre
Dictées pour progresser - n° 653

Micheline Moreau
Latin pour débutants - n° 713

Irène Nouailhac, Carole Narteau
Mouvements littéraires - n° 711

Damien Panerai
Dictionnaire de rimes - n° 671

Jean-Bernard Piat
Vocabulaire anglais courant - n° 643

Mathieu Scavannec
Le calcul - *Précis d'algèbre et d'arithmétique* - n° 595

POÉSIE

Charles Baudelaire
Les fleurs du mal - n° 48
Le spleen de Paris - *Petits poèmes en prose* - n° 179
Les paradis artificiels - n° 212

Marie de France
Le lai du Rossignol
et autres lais courtois - n° 508

Michel Houellebecq
La poursuite du bonheur - n° 354

Jean-Claude Izzo
Loin de tous rivages - n° 426
L'aride des jours - n° 434

Jean de La Fontaine
Le lièvre et la tortue *et autres fables* - n° 131

Taslima Nasreen
Femmes
Poèmes d'amour et de combat - n° 514

Arthur Rimbaud
Le Bateau ivre *et autres poèmes* - n° 18
Les Illuminations *suivi de*
Une saison en enfer - n° 385

Saint Jean de la Croix
Dans une nuit obscure -

Poésie mystique complète - n° 448
(édition bilingue français-espagnol)

Yves Simon
Le souffle du monde - n° 481

Paul Verlaine
Poèmes saturniens
suivi de Fêtes galantes - n° 62
Poèmes érotiques - n° 257

ANTHOLOGIES

Présenté par Sébastien Lapaque
J'ai vu passer dans mon rêve
Anthologie de la poésie française - n° 530

En coédition avec le Printemps des Poètes
Lettres à la jeunesse
10 poètes parlent de l'espoir - n° 571

Présenté par Bernard Vargaftig
La poésie des romantiques - n° 262

Présenté par Marie-Anne Jost
Les plus beaux poèmes d'amour - n° 695

THÉÂTRE

Anonyme
La farce de maître Pathelin *suivi de*
La farce du cuvier - n° 580

Beaumarchais
Le barbier de Séville - n° 139
Le mariage de Figaro - n° 464

Jean Cocteau
Orphée - n° 75

Pierre Corneille
Le Cid - n° 21
L'illusion comique - n° 570

Euripide
Médée - n° 527

Victor Hugo
Lucrèce Borgia - n° 204
Ruy Blas - n° 719

Alfred Jarry
Ubu roi - n° 377

Eugène Labiche
Le voyage de M. Perrichon - n° 270

Marivaux
La dispute *suivi de* L'île des esclaves - n° 477
Le jeu de l'amour et du hasard - n° 604

Molière
Dom Juan ou le festin de pierre - n° 14
Les fourberies de Scapin - n° 181
Le bourgeois gentilhomme - n° 235
L'école des femmes - n° 277
L'avare - n° 339
Tartuffe - n° 476
Le malade imaginaire - n° 536
Les femmes savantes - n° 585
Le médecin malgré lui - n° 598
Le misanthrope - n° 647

Alfred de Musset
Les caprices de Marianne *suivi de*
On ne badine pas avec l'amour - n° 39
À quoi rêvent les jeunes filles - n° 621

Jean Racine
Phèdre - n° 301
Britannicus - n° 390
Andromaque - n° 469

Edmond Rostand
Cyrano de Bergerac - n° 116

William Shakespeare
Roméo et Juliette - n° 9
Hamlet - n° 54
Othello - n° 108
Macbeth - n° 178
Le roi Lear - n° 351
Richard III - n° 478

Sophocle
Œdipe roi - n° 30
Antigone - n° 692

BD

Berthet et Yann
Pin-up :
Remember Pearl Harbor - n° 574
Poison Ivy - n° 581

Binet
Les Bidochon :
Roman d'amour - n° 584
Les Bidochon en vacances - n° 624
Les Bidochon en HLM - n° 674
Princesse Raymonde - n° 732

Claire Brétecher
Les Frustrés - 1 - n° 735
Les Frustrés - 2 - n° 738
Agrippine - n° 736
Agrippine prend vapeur - n° 739

Philippe Geluck
Le Chat - n° 640
Le retour du Chat - n° 675

Tardi
Adieu Brindavoine *suivi de* La fleur au fusil - n° 562
Le démon des glaces - n° 623
Les aventures extraordinaires d'Adèle Blanc-Sec :
Adèle et la Bête - n° 498
Le démon de la tour Eiffel - n° 499
Le savant fou - n° 538
Momies en folie - n° 539
Le secret de la salamandre - n° 563
Le noyé à deux têtes - n° 573
Tous des monstres ! - n° 646

SANTÉ

Librio

836

Composition PCA – Nord Compo
Achevé d'imprimer en France par Aubin
en avril 2008 pour le compte de E.J.L.
87, quai Panhard-et-Levassor, 75013 Paris
Dépôt légal avril 2008
EAN 9782290003503
1er dépôt légal dans la collection : juin 2007

Diffusion France et étranger : Flammarion